LA COLLECTION ◊

♦

UNE
PASSION FRANÇAISE

◊

MARLENE
ET SPENCER HAYS

LA COLLECTION ◊

◊

MARLENE
ET SPENCER HAYS

Ce catalogue a été publié à l'occasion de l'exposition

UNE PASSION FRANÇAISE

LA COLLECTION MARLENE ET SPENCER HAYS

Paris, musée d'Orsay
16 avril – 18 août 2013

COMMISSARIAT

GUY COGEVAL
Président de l'établissement public du musée d'Orsay et du musée de l'Orangerie

ISABELLE CAHN
Conservateur en chef au musée d'Orsay assistée de
ANNABELLE MATHIAS
Chargée d'études documentaires

SCÉNOGRAPHIE

VIRGINIA FIENGA
Architecte, chef du département de la muséographie et des travaux au musée d'Orsay, assistée de
AGATHE BOUCLEINVILLE
Architecte au musée d'Orsay

ÉCLAIRAGE

PHILIPPE COLLET
Abraxas Concepts

GRAPHISME

CYRILLE LEBRUN
Graphiste au musée d'Orsay

Ce catalogue à été réalisé avec le soutien de Sotheby's Inc. et des American Friends of the Musée d'Orsay

Sotheby's

AF American Friends Musée d'Orsay
MO

ORGANISATION DE L'EXPOSITION

Président des musées d'Orsay et de l'Orangerie
GUY COGEVAL

Administrateur général des musées d'Orsay et de l'Orangerie
ALAIN LOMBARD

Chef du service mécénat et des expositions internationales
OLIVIER SIMMAT

Chef du service des expositions
HÉLÈNE FLON

Responsable d'expositions
STÉPHANIE DE BRABANDER

CATALOGUE

Chef du service des éditions
ANNIE DUFOUR

Suivi éditorial
VIRGINIE BERRI

Traduction et rewriting
DELPHINE STORELLI

Recherche iconographique
JEAN-CLAUDE PIERRONT

SKIRA FLAMMARION

Direction générale
SOPHY THOMPSON

Direction éditoriale
SOPHIE LAPORTE

Coordination éditoriale
COLETTE TAYLOR-JONES
Assistée de
JULIEN VANDENBROUCQUE

Fabrication
CORINNE TROVARELLI, ÉLODIE CONJAT-CUVELIER

Préparation des textes
CATHERINE OJALVO

Relecture des textes
COLETTE MALANDAIN

Conception graphique
LINE CÉLO & CLÉMENCE MICHON

Photogravure
ARCIEL GRAPHIC

AUTEURS

♦

CLAIRE BERNARDI
Conservateur au musée d'Orsay

ISABELLE CAHN
Conservateur en chef au musée d'Orsay

STÉPHANE GUÉGAN
Conservateur au musée d'Orsay

REMERCIEMENTS

♦

Nous soulignons ici le rôle essentiel de Suzanne Moore pour la réalisation de l'exposition et du catalogue. Son aide précieuse, constante et chaleureuse a été capitale dans ce projet.

♦

Nous tenons également à exprimer notre reconnaissance à toutes les personnes du musée d'Orsay qui ont aidé à la réalisation de cette exposition et de cet ouvrage : Véronique Beauregard, Dominique Lobstein et Helena Patsiamanis, à la bibliothèque ; Diane-Eléonore Boïldieu, Roberta Crisci-Richardson, Isabelle Gaëtan, Mathilde Leïchlé, Marianne Mairiaux, à la documentation ; Amélie Hardivilliers et toute son équipe au service de la communication ; Philippe Casset, Élodie Tamburini et Mickaël Chkroun au service juridique et financier ; Marie-Pierre Gaüzes et Guillaume Gallais à la régie des œuvres ; Romuald Picard et Maud Schmiel, au département de la muséographie et des travaux ; et aussi à Florence Valdes-Forain, auteur du catalogue raisonné à paraître de l'œuvre de Jean-Louis Forain ; Pauline Shapiro et John Schweikert, photographes ; *Veranda-Magazine* et son photographe Oberto Gili ; et enfin Patrice Schmidt, chef de l'atelier photographique du Musée d'Orsay.

SOMMAIRE

ORSAY, PASSIONNÉMENT

Est-il possible d'exposer une passion privée dans un musée ?

Oui, nous sommes heureux de pouvoir présenter aujourd'hui au public du musée d'Orsay un ensemble d'œuvres françaises du XIXe siècle et du début du XXe siècle de qualité muséale, qui reviennent parfois pour la première fois dans le pays où elles ont été créées. C'est l'occasion unique de voir des tableaux, des dessins, des pastels, des sculptures, inaccessibles autrement, rassemblés par un couple de collectionneurs américains : Marlene et Spencer Hays.

Rien ne prédestinait les Hays à devenir des collectionneurs réputés dans le monde entier. Issus de familles modestes originaires du Texas, éduqués loin des musées, ils sont autodidactes en histoire de l'art. C'est là leur force. Ils commencent par acheter des tableaux au début des années 1970 pour décorer leur maison de Nashville. À cette époque, leurs choix correspondent à une pratique sociale et, à l'instar de nombre de leurs compatriotes, ils s'intéressent à l'art américain. Puis vient la passion, cet aiguillon qui bouleverse leur vie, transformant le talentueux *businessman* en chasseur à l'affût.

Les Hays trouvent leurs trésors en France à l'occasion de séjours annuels à Paris, où ils courent les musées, les galeries d'art, les antiquaires. Ils admirent les hôtels particuliers du faubourg Saint-Germain et de la rue de Grenelle dont ils copient le modèle pour leur nouvelle demeure de Nashville. L'art français devient leur seconde patrie. Au début des années 1980, ils se lient avec des historiens de l'art, des conservateurs de musées et des galeristes, dont la rencontre bouleverse leurs habitudes de collectionneur. Ils orientent désormais leurs choix vers les Nabis, une peinture plus intellectuelle, pleine de mystère et de rêve, difficile parfois à décrypter au premier coup d'œil.

Leurs toiles de Bonnard, Maurice Denis, Vuillard, Maillol sont en parfaite résonance avec les tableaux nabis conservés au musée d'Orsay, voire même complémentaires de ceux-ci, comme le septième panneau des *Jardins publics* de Vuillard, une décoration commandée en 1894 par Alexandre Natanson pour son hôtel particulier de l'avenue du Bois à Paris, dont le musée conserve cinq panneaux sur neuf. Ou encore l'exceptionnel paravent japonisant peint par Bonnard à l'âge de vingt-deux ans et les deux compositions en imitation de tapisseries, *Le Printemps* et *L'Automne*, conçues par Maurice Denis pour les vantaux d'une double porte de la salle de réception de la demeure d'Arthur Huc, le directeur du journal *La Dépêche de Toulouse*.

Depuis plus de trente ans, les Hays traquent des chefs-d'œuvre sur le marché de l'art, accumulant toiles, dessins, sculptures, meubles anciens, livres illustrés dans leur appartement de Park Avenue, à New York, et leur demeure de Nashville, Tennessee, dont ils ouvrent généreusement les portes aux spécialistes.

L'esprit d'une collection peut-il être restitué hors de son contexte ? Cela n'est ni possible ni souhaitable. Un parti pris inverse a même été choisi pour la présenter au musée d'Orsay : pas de reconstitution d'accrochage, pas d'évocation du décor environnant, à l'exception de la présence d'un ensemble de meubles de style Art déco dessinés par Paul Follot dont le musée d'Orsay conserve également plusieurs pièces, et de photographies des intérieurs des Hays cantonnées dans des espaces pédagogiques du parcours. Impossible également de traduire le rapport sentimental du collectionneur à ses œuvres. Une sélection rigoureuse a été opérée, au risque parfois de contrarier Spencer Hays, qui chérit ses trésors comme ses enfants.

Dans une scénographie sobre et contemporaine, « Une passion française » est une composition originale proposant un regard nouveau sur la collection. Le circuit thématique et chronologique crée une nouvelle cohérence par des rapprochements d'œuvres réparties entre New York et Nashville. Certains voisinages ont été conservés comme le dialogue entre Bonnard et Vuillard à travers leurs portraits réciproques ou des groupes de tableaux de Corot, Tissot, Forain. Les Hays nous ont laissé carte blanche pour la présentation.

Que seraient les musées sans les collectionneurs ? L'historique des collections publiques montre que la majorité d'entre elles sont constituées de dons et de legs. Le musée d'Orsay a ainsi bénéficié des largesses de Gustave Caillebotte (1894), d'Étienne Moreau-Nélaton (1906 et 1927), d'Isaac de Camondo (1911), d'Antonin Personnaz (1937), qui ont fait entrer les impressionnistes au musée, et de celles de Paul Gachet pour Cézanne et Van Gogh. En 1890, Monet lança une souscription publique pour offrir *Olympia* au Louvre. Plus près de nous, la donation Meyer – présentée dans une salle portant son nom –, celle de Josette Rispal pour les Arts décoratifs et une donation anonyme sous réserve d'usufruit, riche de vingt-cinq tableaux de Vuillard et une centaine de dessins de Bonnard, perpétuent cette tradition d'enrichissement des musées français par des dons exceptionnels.

En rejoignant le musée, la passion privée des collectionneurs prend une valeur universelle.

GUY COGEVAL
Président des musées d'Orsay et de l'Orangerie

♦

ENTRETIEN AVEC MARLENE ET SPENCER HAYS

PAR ISABELLE CAHN, CLAIRE BERNARDI ET GUY COGEVAL

ISABELLE CAHN.
Dans quelles circonstances avez-vous commencé à collectionner ?

SPENCER HAYS.
Je suis né à Ardmore (Oklahoma), à 115 kilomètres de Dallas, au nord de la Rivière Rouge – celle que John Wayne a rendue célèbre. Quand j'ai été en âge d'entrer au collège, nous avons déménagé à Gainesville, au Texas, de l'autre côté de la Rivière, où j'ai rencontré Marlene. Nous avons commencé à sortir ensemble et nous nous sommes mariés pendant ma première année d'université, il y a bientôt cinquante-sept ans.

Les parents de Marlene vivaient modestement, tout comme les miens. Ils étaient merveilleux. Lui travaillait dur dans une aciérie, et sa femme préparait les meilleurs *pecan pies* que j'aie jamais mangés. Je me suis mis à travailler pendant les mois d'été pour une société à Nashville, la Southwestern Company. Je vendais des livres en faisant du porte-à-porte et, après mon diplôme, j'ai été engagé à temps plein par la même entreprise. Après six ou huit ans, nous gagnions suffisamment bien notre vie pour acheter une maison de style anglais, qui comprenait une bibliothèque de huit mètres de haut. Partie à New York avec son décorateur pour organiser l'aménagement, Marlene est rentrée avec un ektachrome d'un tableau qu'elle souhaitait acheter. Lorsque je lui ai demandé si elle pensait vraiment dépenser une telle somme pour une image, elle m'a répondu : « Ce n'est pas une image, il s'agit d'une peinture. » C'était un tableau de Bartholomaeus Maton j'en ai vu deux depuis, en Russie, quand j'ai visité le musée de l'Ermitage. Il est dans mon dressing-room à Nashville, je ne le vendrais pour rien au monde. C'est ainsi que tout a commencé.

MARLENE HAYS
Ce fut notre première acquisition. Nous n'y connaissions rien en art mais nous avons continué, en apprenant au fur et à mesure. Dans la petite ville où nous avons grandi, il n'y avait rien sur l'art. On ne l'enseignait pas et nos parents ne s'y intéressaient pas. Le musée le plus proche était à environ 120 kilomètres, nous n'avions pas souvent l'occasion de sortir du département, nous n'avions pas visité le musée de Dallas par exemple.

S. H.
Nous avons commencé à collectionner l'art américain.

M. H.
C'est ce que les gens que nous connaissions achetaient à Nashville : Theodore Robinson, Childe Hassam et quelques autres. Après, nous avons acquis un appartement à New York. C'est à cette époque, au début des années 1980, que nous avons acheté nos premiers Nabis, deux peintures de Bonnard – *La Boutique du fleuriste* en 1981 P. 52 et *Café dans le Bois* en 1982 P. 60.

S. H.
C'est l'impact de Charles S. Moffett qui nous a menés à l'étape suivante. Avant de travailler chez Sotheby's, Charlie, qui est historien de l'art, était au Metropolitan Museum. Il avait organisé une exposition impressionniste à San Francisco, « The New Painting », que nous avons visitée en 1989. Il y montrait un Berthe Morisot, une enfant regardant un perroquet, dont le modèle ressemblait tellement à notre fille que j'ai dit à Marlene : « Il faut que nous l'ayons ! »

M. H.
L'œuvre était influencée par Manet, la robe noire, le perroquet sur un perchoir. Nous l'avons tout de suite aimée.

S. H.
Mais elle n'était pas à vendre… Un an plus tard, nous marchions dans les rues de Paris et, comme à mon habitude, je regardais les vitrines des marchands d'art. J'ai aperçu cette œuvre, *Jeune fille au perroquet* P. 130. C'était chez Waring Hopkins. Nous avons acheté le Berthe Morisot et Waring a commencé à nous montrer plus de Nabis et nous en sommes tombés amoureux. Nos précédentes acquisitions, comme le magnifique Childe Hassam P. 105, étaient toutes des tableaux de figures. Notre Pissarro, acheté avant que nous ne nous intéressions aux Nabis, représente son fils Rodolphe P. 134. Nous aimons les gens, j'ai toujours aimé les gens. C'est ce qui intéresse les Nabis – les amis, la famille, les échanges quotidiens –, et c'est ce qui m'a attiré chez eux. Et puis les couleurs sont tellement belles. Prenez nos *Couturières* P. 166 : quand vous entrez dans la pièce, les couleurs claquent. Et cette façon de traiter la planéité, j'adore ça. Maurice Denis l'a dit : avant d'être un atelier ou une ambiance, un tableau est « une surface plane recouverte de couleurs en un certain ordre assemblées ».

I. C.
Vous présentez de nombreuses affinités avec vos œuvres. Faites-vous des recherches sur elles avant de les acheter ?

M. H.
Oui.

S. H.
Pas au début. Au départ, nous achetions juste les œuvres qui nous plaisaient. Des amis nous ont suggéré de prendre un conseiller mais nous avons préféré ne pas le faire. Nous commettrions sans

doute quelques erreurs, mais nous n'agirions qu'en fonction de nos goûts et nous n'achèterions une pièce que si nous l'aimions. Nous n'avons jamais voulu chasser les trophées pour n'avoir sur nos murs qu'un chef-d'œuvre de Renoir ou de Manet. Et puis nous avons regardé de plus en plus du côté de Vuillard. Comme j'ai un trouble de l'apprentissage, les mots me viennent parfois difficilement, et il m'a fallu un certain temps avant de réussir à prononcer son nom. En somme, nous sommes tombés amoureux de Vuillard.

M. H.

À la longue, collectionner devient une habitude. On y pense tout le temps. On attend les visites de musées, les expositions.

S. H.

Pendant les vacances, nous voyons deux musées par jour. Quand nous sommes à New York, nous passons chaque minute de notre temps libre au musée. Nous visitons une aile de musée différente chaque samedi matin et puis nous allons toujours revoir les quelques Bonnard et Vuillard du Metropolitan avant de partir.

I. C.

Vous collectionnez par passion mais vous savez partager.

M. H.

Oui, nous avons souvent une ou deux œuvres en prêt. Nous pensons, comme l'a dit Sir Charles Attenborough, que « l'art n'appartient à personne. Certains d'entre nous en sommes tout simplement les gardiens temporaires mais privilégiés et comblés ».

I. C.

Vous échangez beaucoup, avec les directeurs des grands musées, les historiens de l'art, d'autres collectionneurs.

S. H.

Quand on nous a demandé de prêter deux de nos panneaux de Maurice Denis, je crois que c'est à ce moment-là que nous vous avons commencé à vous connaître Guy. Nous nous étions déjà rencontrés puis nous sommes devenus amis.

GUY COGEVAL

Avant, il y a eu Vuillard et, encore avant, l'exposition « Beyond the Easel ». C'était en 2001, juste avant le 11-Septembre.

S. H.

C'était la veille du 11-Septembre. Vous êtes venu à l'appartement, accompagné de Laurence Des Cars, qui travaille maintenant à France-Muséums. Vous êtes retournés en voiture à Montréal. Nous avons tellement de respect et d'admiration pour Guy, grand historien de l'art, mais aussi expert en matière d'opéra, de théâtre, et quoi d'autre encore ?... Il a un tel œil, une telle imagination et une telle énergie. Tous ceux qui le connaissent seront d'accords avec moi.

M. H.

Au fil des années, nous avons beaucoup appris des marchands et des gens de musée.

S. H.

Nous avons beaucoup de respect et d'admiration pour les historiens de l'art et pour tous ceux qui travaillent dans les musées et dans les galeries. Plus je suis avec eux, plus j'apprends. Nous avons tâché de rencontrer des membres du Metropolitan, nous sommes devenus de bons amis de Gary Tinterow. Elizabeth Easton est une autre historienne auprès de qui nous savions que nous pourrions nous instruire. Et bien sûr Gloria Groom [conservateur à l'Art Institute of Chicago] qui est quelqu'un de très spécial. Un autre grand historien de l'art qui nous a beaucoup aidés est Stan Mabry. Nous avons vraiment fait de gros efforts pour ça et pour apprendre d'eux. Nous sommes convaincus par la philosophie qu'Elizabeth Easton défend en la matière avec l'Association of Art Museum Curators (association de conservateurs des musées) : un musée ne doit pas être dirigé par un homme d'affaires, mais par un historien de l'art à qui l'on apprend les règles d'une bonne gestion. Nous sommes persuadés que c'est comme ça que les choses doivent être. N'ayant pas été initiés à l'histoire de l'art, Marlene et moi avons dû travailler dur pour apprendre. C'est une part de notre vie, la plus amusante et la plus excitante.

S. H.

J'adore le dessin, j'adore ce que Bonnard dit à propos du dessin et de la couleur : « Le dessin est la raison. » J'aime vraiment le dessin. Marlene et moi devons nous mettre d'accord sur chaque tableau que nous achetons.

M. H.

Si c'est un tableau majeur, oui. Spencer achète beaucoup de dessins. Mais nous sommes toujours d'accord sur ce que nous aimons. C'est amusant aussi, c'est une activité vraiment plaisante à laquelle nous aimons nous livrer.

I. C.

Et vous aimez les dessins aussi ?

M. H.

Oui, beaucoup, mais Spencer en est vraiment fou [P. 54-59, 72-75]. Nous avons soixante-trois dessins de Vuillard qui ne sont pas exposés, ainsi que vingt-quatre de Forain et cinquante-deux d'autres artistes. Oui, je dirais qu'il aime les dessins, sans aucun doute.

G. C.
Vous habitez en partie à New York, dans un appartement qui a été complètement réaménagé par le grand designer italien Renzo Mongiardino.

S. H.
J'ai acheté cet appartement pour Marlene à l'occasion de notre quarantième anniversaire de mariage. C'était en 1996, il y a bientôt dix-sept ans. Elle était sur le point d'acquérir une petite maison française à Nashville pour la restaurer.

M. H.
Je voulais juste rénover quelque chose. Je cherchais une maison ancienne qui ait un peu de caractère mais nous avons décidé de construire une maison à la française.

G. C.
Mongiardino a conçu un *studiolo* orné d'une espèce de *città ideale*, comme celle de Piero della Francesca, avec des visions métaphysiques de New York, vues à l'italienne P. 26. C'est renversant. Outre ce somptueux appartement, vous habitez un palais à Nashville ; vous êtes le seul homme, dans tout le sud des États-Unis, à ne pas avoir construit une maison Tudor mais un hôtel particulier à la française, qui est la reproduction, en plus petit, de l'hôtel de Noirmoutier, rue de Grenelle, à Paris. Vous avez mis cinq ans à le bâtir parce que vous l'avez fait venir pierre par pierre, et avez fait sculpter tous les chambranles. C'est éblouissant.

S. H.
Oui, nous avons fait faire toutes les crémones ici, à Paris, dans un tout petit atelier. Quand nous sommes à Paris avec Marlene, nous aimons tellement la ville et son architecture que nous marchons souvent du Café Marly, au Louvre, jusqu'au Petit Palais, puis nous retournons à l'hôtel Duc-de-Saint-Simon, dans le VIIe arrondissement. Or, au 138, rue de Grenelle, se trouve l'hôtel de Noirmoutier, résidence du préfet d'Île-de-France. Après avoir choisi la pierre de Saint-Maximin dans une carrière, je suis venu la comparer sur place afin de m'assurer que je m'étais arrêté sur la bonne. Entre-temps, j'ai appris à connaître la dame qui s'occupait de la maison et elle m'a laissé entrer dans la cour. Ensuite, nous avons tout fait tailler. À la suite d'une erreur, le jeune tailleur de pierre a même dû venir jusqu'à Nashville pour terminer le travail. Dans la bibliothèque et le salon, nous avons récupéré le parquet d'un château en France, un parquet à la « Versailles ». J'ai dit au vendeur que je paierais la moitié tout de suite et la moitié à la livraison, mais que je ne lui réglerais pas le solde si le bois ne grinçait pas sous mes pas ! Nous en avons installé un autre – d'après un dessin du XVIIIe siècle –, dans la salle à manger.

G. C.
Spencer et Marlene, depuis quand vouez-vous cette grande passion à la France ?

S. H.
Nous avons effectué notre premier séjour en France en 1971. Nous sommes revenus chaque année depuis. Nous aimons Paris, nous aimons la France, le Midi, les petites villes… Et la Normandie aussi, qui nous touche particulièrement parce que les Américains y ont sacrifié tant de vies pour rendre à la France sa liberté.

G. C.
Comment expliquez-vous le contraste entre votre goût pour les aménagements du XVIIIe siècle et votre attrait pour l'art du tournant du siècle suivant, XIXe-XXe, autour des Nabis ?

M. H.
Je crois que ça marche bien. L'ensemble me paraîtrait trop raide si nous collectionnions la peinture ancienne. Je suppose que c'est la raison qui me fait apprécier l'association. Tout est adouci, pas trop sérieux.

S. H.
L'appartement de New York est meublé avec des meubles Louis XVI et Charles X. Nous sommes passionnés de mobilier français et avons la chance d'être conseillés par un expert, qui est devenu notre ami, Laurent Prevost-Marcilhacy.

M. H.
Mais nous avons une suite de mobilier de Paul Follot de 1914 P. 27.

S. H.
Et aussi une table contemporaine réalisée par un sculpteur vivant, une énorme table basse en bronze.

M. H.
C'est une artiste française qui s'appelle Ingrid Donat. Elle a étudié dans l'atelier de Giacometti.

G. C.
Vous possédez deux bibliothèques fantastiques pour lesquelles vous n'achetez que des éditions originales. C'est l'un des fonds privés du XIXe siècle les plus importants des États-Unis, avec des reliures d'époque, la *Grammaire* de Charles Blanc, Ernest Chesneau, les publications de Vollard, Mirbeau. À New York, votre bibliothèque est installée dans un *studiolo*, comme chez le duc d'Urbino, un luxe que personne n'a dans cette ville. Vous êtes les seuls que je connaisse, je n'ai jamais vu ça ailleurs.

S. H.
Pour vous donner un exemple, il existe deux cent cinquante copies d'un livre de lithographies de Matisse. Mais ce qui est unique ce sont les sept lettres que le peintre a adressées à Florence Gould, la femme de l'industriel américain, et qu'elle

a fait relier dans l'ouvrage – il décorait même les enveloppes et dessinait sur chaque page. À la fin, sur la dernière lettre, il a réalisé un portrait d'elle en pleine page. Tous nos livres sont de cette qualité.

M. H.
Nous avons aussi beaucoup de premiers tirages.

I. C.
Continuez-vous à acheter des livres ?

S. H.
J'ai vraiment commencé par ça. Lorsque j'étais jeune homme, mon activité de vendeur de livres pour la Southwestern Company à Nashville m'a donné le goût de la collection ! J'ai commencé par les éditions originales de Dickens, c'est pourquoi nous avons presque tous ses premiers tirages. Bien sûr, je possède de très belles reliures pour les protéger. Nous collectionnons aussi des livres de Degas et des livres de lithographies de Denis, Maillol et d'autres artistes également.

M. H.
Oui nous avons commencé à collectionner la sculpture aussi. Quelques pièces au fur et à mesure, puis nous avons acheté un grand Maillol, *L'Été* P. 119. Nous avons ajouté des œuvres de Matisse, Renoir, Rodin, Dalou, Chapu, Carrier-Belleuse et Gauguin. Nous avons aussi quatre Degas y compris la petite danseuse, sans le tutu P. 21. Et puis nous avons collectionné les Daumier, un par un, les caricatures.

S. H.
Oui, nous en possédons une vingtaine voire plus.

I. C.
Vous avez récemment acheté un grand format de Pelez P. 132-133. Pouvez-vous nous en parler, car ce sujet des pauvres saltimbanques est très particulier…

G. C.
Il ressemble à un Fellini !

S. H.
Oui, c'est toute une histoire. Lorsque nous avons visité le Petit Palais pour la première fois, en 1971 ou 1972, nous avons immédiatement aimé cette œuvre. Juste à côté il y a un superbe Steinlen, un des plus beaux que j'aie jamais vu. Chaque année, nous retournons les voir. C'est un des endroits où nous nous rendons toujours. Notre Pelez est apparu en vente il y a quelques années. Je l'ai vu un dimanche après-midi chez Sotheby's, à ma grande surprise, car j'en ignorais l'existence. Les quelques recherches que nous avons faites ont montré que le peintre avait exécuté cette version en premier. Mais, plus qu'une simple étude, c'est un tableau accompli. Il voulait l'exposer au Salon et voir ce qu'il donnerait une fois achevé. Dans un second temps, il a réalisé celui du Petit Palais.

G. C.
C'est une version réduite. Mais il mesure tout de même trois mètres de long !

M. H.
Comparé à celui du musée, il est petit.

S. H.
C'est quand même grand ! Nous n'achetons jamais un tableau en pensant à l'endroit où nous allons le mettre. Nous achetons ce que nous aimons. Lorsque nous avons vu celui-ci, Marlene a dit : « Que ferons-nous s'il ne trouve sa place sur aucun de nos murs ? » Nous ne l'avons pas mesuré, mais nous avons une *family room* au premier étage – il y a trois étages à Nashville et le premier est une sorte de salle vidéo. Et sur le mur là, elle a eu peur qu'il bouche la porte à moitié et que nous ayons à passer la porte à mi-chemin ! Mais nous nous sommes débrouillés. Nous ne pensons jamais à l'avance « Tiens, voilà un bon emplacement », et chaque fois que nous achetons, Marlene dit : « Nous n'avons plus de place ! »

I. C.
Pourtant, quand on visite votre maison à Nashville, on a l'impression que chaque œuvre est à sa place. Je crois me souvenir des Maurice Denis, le grand décor, deux panneaux entre trois grandes fenêtres, qui semblent avoir trouvé une place prévue à l'avance P. 77.

S. H.
Nous avons acheté les Maurice Denis et…

I. C.
… vous avez construit une maison autour de votre collection.

S. H.
C'est exactement ça ! Comme nous n'avions pas de place au moment où nous les avons acquis, nous les avons prêtés à Gloria Groom et elle les a gardés au Chicago Art Institute pendant quelque temps puis les a prêtés à Gary Tinterow au Metropolitan. La construction de la maison a duré cinq ans et, je disais à mon vendeur, Waring Hopkins : « Waring, ce sont les deux tableaux les plus chers que tu aies jamais vendus, car il faut que tu ajoutes le prix de la maison ! »

G. C.
C'est intéressant parce que je me souviens du moment où ces tableaux ont quitté la France. J'étais très jeune, je devais avoir vingt-cinq ans, c'était au début des années 1980. Michel Laclotte m'a dit : « Vous ne les reverrez jamais parce qu'ils vont au Japon. » En fait ils sont revenus, ils sont même revenus en France.
Il ne faut jamais dire jamais !

S. H.
Un marchand français les a vendus à un Japonais. Et ils sont rentrés. Je crois que Waring les a vendus pour les Japonais. Et nous les lui avons achetés.

G. C.
Vous possédez *Les Premiers Pas* P. 183, un des panneaux pour *Les Jardins publics* de Vuillard, le seul qui soit en mains privées. Je me souviens quand ils étaient à vendre. J'ai téléphoné à Henri Loyrette, alors directeur du musée d'Orsay, pour lui apprendre la nouvelle. Tout le monde pensait que ce panneau était perdu. En réalité, il était caché en Belgique. Il valait quatre millions d'euros à l'époque.

S. H.
C'est Guy Wildenstein. Guy a continué de miser sur la grande réputation de son père et de son grand-père. Daniel Wildenstein s'est aussi arrangé pour récupérer une bonne partie de la succession Bonnard.

G. C.
En effet, je pense que les Wildenstein détiennent le fonds le plus important de Bonnard au monde.

S. H.
Ce qui est bien avec les marchands comme Guy Wildenstein, c'est qu'ils établissent les catalogues raisonnés et les publient. C'est le cas de Vuillard.

G. C.
C'est effectivement Wildenstein qui a inventé le principe en publiant le premier catalogue jamais établi à la fin du XIXe siècle.

S. H.
En tout cas, les œuvres d'art nous apportent la joie et la gaieté. Il n'y a pas un soir, avant de me coucher – Marlene est déjà montée –, où je ne me promène une dernière fois, où je ne prenne trente ou quarante-cinq minutes pour regarder, profiter, apprécier, admirer et respecter chacune des œuvres.

G. C.
Pourriez-vous nous dire quelques mots sur les peintres majeurs, sur Maurice Denis par exemple, comment pourriez-vous le qualifier ? Qu'est-ce qui vous intéresse chez lui ? On sait que c'était un bon catholique !

S. H.
Il y a une chapelle privée dans sa maison. Nous l'avons visitée plusieurs fois. J'adore les deux panneaux que nous avons, c'est ma période de prédilection chez lui. Maurice Denis s'est marié deux fois. Il a eu au moins six enfants avec Marthe, avant qu'elle meure.

G. C.
Ce sont ses enfants qui lui ont demandé de se remarier, pour le sortir de son abattement. Il a donc épousé une nouvelle femme comme il aurait engagé une gouvernante. Aussi ses petits-enfants sont-ils tous des descendants de Marthe qui, après 1910, est devenue folle.

S. H.
C'est triste, mais j'admire les gens de conviction. Il croyait en sa peinture, et il était animé par une foi profonde. Je crois qu'il a même pensé devenir prêtre lorsqu'il était jeune. Nous possédons une très belle peinture de lui intitulée *Le Goûter* P. 79 et un de ses éventails P. 78 ainsi que des éventails de Gauguin P. 96 et un autre de Seguin P. 151.

G. C.
Il était philosophe aussi, il a beaucoup étudié, avec de grands penseurs. Il a suivi les cours de Bergson. À seize ou dix-sept ans, il avait déjà lu tous les ouvrages de Spencer et Carlyle, tous les grands philosophes du XIXe siècle.

S. H.
Il tenait aussi un journal, qu'il écrivait tous les jours. Il avait de solides convictions philosophiques et était un érudit.

G. C.
Il a voué très tôt une passion à la peinture et a vécu toute sa vie sous l'influence de Puvis de Chavannes.

I. C.
Et de Fra Angelico.

G. C.
Vous aimez Maurice Denis décorateur, mais vous appréciez aussi ses petites compositions, avec sa famille, sa femme représentée comme une sainte, quand il transpose la vie contemporaine dans la peinture mythologique ou religieuse P. 76.

M. H.
Parmi nos favoris, il y a Redon aussi. Nous possédons *La Fleur rouge* P. 143 et une nature morte.

S. H.
Il avait une vingtaine d'années de plus que les Nabis, mais il les a vraiment inspirés.

G. C.
Absolument. Dans *L'Hommage à Cézanne*, Maurice Denis a choisi de représenter tous les Nabis qui étaient amis ou qui vouaient une passion à « Monsieur Redon ».

S. H.
La dernière personne à droite au fond est Marthe. Bonnard se tient juste devant elle.

G. C.
Mais ce n'est pas la Marthe de Bonnard…

S. H.
Non, c'est la Marthe de Maurice Denis !

G. C.
Et qu'est-ce qui vous plaît chez Redon ?

M. H.
J'en aime l'esprit, le mystère. C'est difficile à expliquer parfois. J'apprécie peu les premiers, ils font peur, les insectes et autres. Mais plus tard, l'œuvre me plaît beaucoup.

S. H.
Sa *Fleur rouge*, les couleurs, la symbolique… le coton ne pousse pas sur un arbre, comme vous le savez ! On distingue une tête sur un côté de la branche, et puis dans un autre tableau de Redon il y a cette coupe de fruits et quelqu'un s'approche de l'autre côté P. 144.

M. H.
Il y a une touche de mystère dans toutes ses œuvres, et j'adore la couleur du fruit, le jaune.

S. H.
Il faut dire aussi que j'ai toujours été intéressé par la mode. C'est amusant de voir les œuvres de ces hommes qui avaient un tel style. Si j'aime la façon dont s'habillent Bonnard et Vuillard, leur apparence toujours soignée, c'est à cause d'une de nos sociétés, la Tom James Company. Nous fabriquons nos propres tissus pour les vêtements d'homme faits par une de nos sociétés en Écosse, Holland and Sherry. Les costumes sur mesure sont réalisés dans nos propres ateliers. Même chose pour les chemises. Nos plus grands bureaux de la Tom James est sur Savile Row où nos costumes viennent de Westminster, dans le Maryland, les chemises du New Jersey et les cravates de Caroline du Nord. Et nous vendons à Londres, à Paris, à Sydney avons plus de cinq cents bureaux à travers le monde ! C'est ça la Tom James Co. Bonnard portait toujours ce chapeau, ces lunettes… Bien entendu, nous avons visité sa maison, la dernière dans laquelle il a vécu, au Cannet. J'admire les gens qui se passionnent pour ce qu'ils font, et c'est cette passion profonde pour son art qui m'a conduit à tant l'admirer et le respecter. Comme vous le savez, il n'était pas apprécié par Picasso, mais il était très proche de Matisse et ils se sont vus pendant la guerre. Je lis et j'étudie d'ailleurs un ensemble de lettres qu'ils ont échangées, c'est incroyable. Le Kimbell Museum conserve un tableau de Matisse qui représente une femme avec un collier vert et qu'il avait prêté à Bonnard. Et Bonnard lui a écrit pour lui dire que, de jour, le bleu était la couleur dominante tandis que le rouge remontait la nuit.

G. C.
Picasso détestait Bonnard mais il aimait Vuillard. Comment expliquez-vous ça ?

S. H.
Il ne voyait en lui qu'un néo-impressionniste. C'est curieux qu'il ait admiré et respecté Vuillard mais qu'il ait éprouvé un tel sentiment pour Bonnard. Je pense que parfois on se forge une opinion sur quelqu'un uniquement à partir d'une émotion. Il doit y avoir quelque chose comme ça. Son avis ne pouvait pas être fondé sur la peinture car les deux peintres avaient de nombreux points communs.

G. C.
Surtout par rapport à Bonnard, qui a vécu si longtemps et a essayé tant de styles différents dans sa vie. La plupart des gens ignorent et sont incapables de faire la somme de toutes ces expériences. Dans les années 1890, Bonnard était très intellectuel, il jouait avec l'ambiguïté visuelle de ses tableaux, avec notre capacité à voir plusieurs choses à la fois dans le jeu des formes. Vuillard était un peintre plus raisonné encore, proche de Mallarmé.

S. H.
Bonnard aimait les voitures, il les a adoptées dès leur apparition. Et les appareils photographiques, dès qu'ils se sont diffusés, ils en sont tous tombés amoureux. J'aime les maisons dans lesquelles il a vécu. Le Metropolitan conserve un magnifique tableau montrant des gens sous le large porche de sa demeure, proche de Giverny.

G. C.
Êtes-vous également allé à Vernon?

S. H.
Oui. Nous y sommes allés en 2011 pour voir la magnifique exposition Bonnard, le jour où nous avons visité Giverny. Bonnard a peint de nombreux tableaux de sa famille et de ses amis, vivant les uns avec les autres, mangeant, buvant, faisant l'expérience de la vie ensemble. J'ai toujours aimé les gens. Quand on me demande si je préfère New York ou Nashville, je réponds que j'aime tous les endroits où il y a du monde.

I. C.
Travaillez-vous avec un restaurateur ?

M. H.
À New York, il y a plusieurs très bons restaurateurs comme Simon Parkes et Alain Goldrach.

I. C.
Et à Nashville ?

M. H.
Non, nous envoyons tout à New York. Nous faisons également appel à des encadreurs. En général, nous remplaçons le cadre car nous adorons les cadres anciens. La plupart du temps, nous appelons notre encadreur, M. Guttmann, qui travaille avec nous depuis des années. C'est un homme merveilleux et il a de très beaux cadres qui sont des œuvres d'art en elles-mêmes et qui participent grandement à l'impact de l'œuvre. En plus des restaurateurs et d'un encadreur, nous avons la chance d'avoir

Suzanne Moore qui nous aide à conserver notre collection. Elle est super.

I. C.
Avez-vous aussi pensé à collectionner la photographie ? Nous avons parlé des photos de Bonnard. Aimeriez-vous collectionner les photographies de peintres aussi ?

M. H.
Oui, j'aimerais beaucoup, mais elles sont difficiles à trouver. Nous conservons deux Nadar : une photographie de Manet et une de Monet. Dans un des couloirs de l'appartement de New York est montrée notre collection de photos et de lettres d'artistes. Il y a en de Maillol, Matisse, Pissarro et d'autres. Donc oui, ce serait fascinant, j'aime beaucoup la photographie.

G. C.
Quelles sont vos œuvres favorites dans la collection ?

M. H.
Une de celles que j'aime vraiment est le Childe Hassam, que l'artiste américain a peint à Paris. Sinon, les *Fillettes se promenant* P. 172, et *Les Couturières* P. 166, de Vuillard. Et j'adore Redon. Mais les *Fillettes se promenant*... Jamais je n'aurais pensé posséder un jour ce tableau, que j'avais vu à la National Gallery, lorsque l'œuvre y était en dépôt.

S. H.
Tu te souviens, Marlene, à peu près quinze ans avant que nous ne l'achetions, une femme nous a proposé un jour une étude pour *Fillettes se promenant*. Quand j'ai suggéré que nous l'achetions, tu t'es tournée vers moi et tu m'as répondu : « Non, nous attendrons et nous achèterons la vraie version. »

M. H.
Je plaisantais ! Vraiment je l'adore. Les couleurs sont magnifiques.

S. H.
Et le mouvement. Les bras enlacés… Un de mes préférés est le Bonnard où l'on voit sa sœur portant un corsage à carreaux rouges avec un chat P. 51. Le musée d'Orsay en détient une autre version, peinte après la nôtre. Le nez est différent.

M. H.
Oui, c'est aussi un de mes préférés. La version d'Orsay est meilleure. Elle nous avait été proposée mais nous l'avons manquée. C'est seulement quelques années plus tard que nous avons pu acheter notre tableau en vente publique.

G. C.
C'est mieux d'attendre !

M. H.
Oui, c'est mieux d'attendre.

S. H.
Il y a aussi le petit Bonnard, si précieux, de la fille vêtue d'une robe à carreaux bleus et blancs marchant sous la pluie P. 53.

I. C.
Il porte une inscription, une dédicace à Thadée Natanson.

S. H.
Je dis toujours que je n'ai pas de préféré. C'est comme avec mes enfants, il ne peut pas y avoir de favori. Ils doivent tous être logés à la même enseigne. C'est d'ailleurs pour cela peut-être, Guy, que je vous ai rendu fou, ainsi que votre équipe, à vouloir constamment ajouter des œuvres à l'exposition. C'est très difficile de voir « mes enfants » être délaissés. Il y a de très belles pièces de Boudin que je voulais mettre avec l'incroyable terre cuite de Maillol, une peinture à l'huile de Raffaëlli représentant son épouse, une autre de la mère de Marquet, une nature morte de Fantin-Latour, et un Matisse. Il y a en fait cinquante-sept de nos peintures et treize bronzes réalisés par des artistes tels que Renoir, Degas et d'autres encore qui ne sont pas exposés. Mais, pour revenir à votre question, une des très belles pièces que nous avons est le magnifique paravent rouge de Bonnard… P. 49.

G. C.
Oui, il est splendide. Personne ne l'a jamais vu en France, même s'il a été vendu ici. On ne l'a jamais vu dans une exposition.

S. H.
Le paravent a été partagé en plusieurs parties par la famille qui le détenait et les trois panneaux ont été dispersés dans trois endroits différents. Deux marchands se sont alors arrangés avec les propriétaires pour les rassembler. Et nous avons eu la chance de pouvoir les acheter. Bonnard l'a réalisé, je crois, quand il avait une vingtaine d'années.

G. C.
Il avait vingt-deux ans.

S. H.
Je possède aussi quelques-uns des premiers Vuillard, quand il était influencé par Chardin. Il a peint une nature morte avec une pipe P. 163, que j'adore, et une autre avec un encrier P. 163.

G. C.
Apparemment, Vuillard est votre peintre favori. Pourquoi ?

S. H.
J'aime sa façon de peindre, ses couleurs, la planéité de certaines de ses compositions. J'aime le fait qu'il a toujours représenté ses amis. Un de mes préférés est celui où Marie porte une robe rouge et Roussel, son époux, est en train de se lever en repoussant la table. Dans le catalogue raisonné, Guy, vous

expliquez que les autres convives tentent de rappeler Roussel à la raison parce qu'il entretenait alors une liaison avec l'une des sœurs de Paul Ranson.

G. C.
Germaine.

S. H.
Vous savez, au cours de mes cinquante-sept années de mariage, il m'est probablement arrivé de sortir de table après m'être énervé !
Les Nabis se retrouvaient le dimanche chez Ranson pour discuter.

G. C.
Il peint sa sœur, sa mère, le bébé de sa sœur…

S. H.
C'est exact. Il y a également cet autre tableau, admirable, avec la petite Annette, qui sort en rampant. Elle appelle, et la mère est là aussi. Vuillard a connu beaucoup de monde. À un moment, il était lié avec Misia et Thadée Natanson qu'il a inclus dans ses tableaux. Il a également représenté Marthe Mellot, l'actrice, qui avait épousé Alfred Natanson. Et puis il y a eu Lucy Hessel. Il a aussi commencé à peindre les endroits qu'il a visités avec son marchand et sa femme, dont il était très proche.

M. H.
Ce qui m'intéresse c'est que, au-delà des figures, il peint la façon dont les personnages regardent, leur manière de marcher dans la pièce, leur maladresse, leurs bras, leurs corps… Et puis ces petites taches de couleur éclatante qu'il pose çà et là sans raison.

S. H.
C'est un peu comme si nous entrions dans la pièce avec la famille…

I. C.
Vous ne collectionnez pas Vallotton ?

S. H.
Non. Nous y pensons.

I. C.
C'est difficile à trouver, mais il aborde les figures d'une autre façon. Il est plus objectif, plus scientifique, plus cruel aussi. Il ne voit pas les gens de la même manière que Bonnard et Vuillard.

M. H.
Et le Modigliani P. 128. Nous l'aimons beaucoup. Il est particulièrement intéressant car c'est l'époque de Soutine et il a été peint sur une porte. Je crois qu'ils étaient ivres morts et qu'ils n'avaient pas de toile.

CLAIRE BERNADI.
C'est une porte que le marchand Zborowski leur a donnée.

S. H.
Il leur prêtait à chacun une chambre qu'une porte séparait. Et Modigliani a peint sur cette porte.

C. B.
Elle a été divisée en deux parties.

S. H.
À sa femme qui lui reprochait d'avoir ruiné la porte, il a répondu : « Ne t'inquiète pas, elle vaudra beaucoup d'argent un jour. »

C. B.
Elle détestait Soutine et ne voulait pas de cette œuvre chez elle.

S. H.
Il était plutôt rustre.

M. H.
J'aime aussi Ranson, c'est un coloriste si puissant.

S. H.
Les Nabis aimaient et étudiaient aussi Corot, qui fut une source d'inspiration pour eux. Je crois qu'il peignait dans deux endroits, parce qu'il craignait qu'on lui reproche de peindre des figures plutôt que des paysages, pour lesquels il était si connu. Nous aimons notre grand Corot parce que le modèle est assis devant un chevalet, sur lequel est installée une toile P. 71. C'est ce qui nous a attirés. Je crois qu'il en existe une petite version au Met, que nous avons vue d'abord, et puis celui-ci est passé en vente publique, et nous en sommes tombés amoureux. Et la robe, la couleur de la robe ! Quand nous l'avons prêté au Grand Palais à l'occasion de l'exposition sur Corot, il y avait six tableaux de cette femme devant un chevalet, tous légèrement différents les uns des autres. Dans notre appartement de New York, dans une petite pièce où nous prenons le petit-déjeuner, il y a une peinture aussi grande que le mur [*Artiste dans son atelier*, de Paul Lecuit-Manroy] ! Une seule chose m'a attiré : l'artiste. Il est assis près d'une table, il y a un verre de champagne et des fleurs, il regarde le chevalet : la veille il a terminé son œuvre. Il fête l'achèvement de son tableau.

I. C.
Quand l'avez-vous acquis ?

M. H.
Il y a une vingtaine d'années, chez Christie's.

S. H.
Peut-être seize ans.

M. H.
Naturellement, personne ne voulait l'acheter.

S. H.
Non, ce n'est pas vrai !

M. H.
Si c'est vrai. Peu importe. Tu as dit : « Je vais faire une offre », et tu l'as eu. Mais lorsque nous nous sommes aperçus qu'il n'entrait pas dans l'ascenseur qui menait à l'appartement, nous avons dû le démonter. Puis il a fallu l'assembler une fois dans la pièce.

S. H.
La seule raison qui m'a conduit à l'acheter est mon amour pour l'art et les artistes. Je les admire et leur porte le plus grand respect. Créer, avoir la capacité de créer quelque chose comme ça est incroyable. Il n'allait pas avec notre collection, c'est une période différente, mais je l'ai quand même acquis car j'ai pensé que ce serait parfait de prendre mon petit déjeuner en sa compagnie, tout seul, car je me lève très tôt. Je peux ainsi regarder l'artiste achevant sa peinture, je peux fixer indéfiniment ce chevalet. Ainsi, comme je le disais, nous n'avons pas vraiment d'œuvre préférée, parce que c'est comme les enfants. On n'a pas de préférence pour un enfant, on les aime tous autant.

I. C.
Rencontrez-vous parfois des difficultés à acquérir les tableaux que vous voulez ?

S. H.
Il faut de la patience.

M. H.
Les *Fillettes se promenant* de Vuillard étaient à la National Gallery de Londres et nous avons négocié avec le collectionneur. Et bien plus tard, nous avons pu les acquérir lorsqu'elles sont passées en vente publique.

S. H.
Je pense que la quintessence de ce que nous sommes face à l'art est ce tableau d'un homme dont on distingue le bras, de profil, avec un autre petit personnage P. 191. Il est difficile à saisir, et cet exemple illustre ce que sont vraiment les Nabis, car il faut du temps pour comprendre ce qu'ils veulent vraiment dire. Chaque fois que l'on regarde une peinture nabie, on y voit quelque chose de nouveau.

G. C.
Oui, c'est très juste. L'image nécessite un déchiffrage.

S. H.
Vous voyez le bras, et là, l'autre petit personnage. Quand j'ai voulu changer le cadre, l'encadreur m'a appelé pour me dire qu'il n'arrivait pas à distinguer le haut du bas du tableau !

C. B.
On ne sait pas si c'est un portrait ou une nature morte.

M. H.
Et au fond, est-ce un arbre ou quelque chose qui sort du vase bleu ? Et puis, on voit des personnages en-dessous.

G. C.
On peut le rapprocher d'une gravure d'Utamaro.

S. H.
Il faut prendre son temps. Ce sont les lignes, les couleurs…

C.B.
C'est ce que vous disiez à propos de leur dimension mystérieuse…

S. H.
Tout est dit ici, tout ce qui m'attire chez les Nabis. Il est tellement intéressant de voir émerger le sens.

G.C.
Une dernière question. Quelle est votre devise préférée ?

S. H.
J'ai écrit deux pages de principes que nous distribuons à nos cadres commerciaux et employés de nos sociétés dans les pays du monde entier. Vous savez que la Southwestern Company détient de nombreuses sociétés y compris Great American – la plus grande entreprise de collecte de fonds pour les écoles des États-Unis –, Soutwestern Investment Services, Southwestern Consulting Company, Wildtree, Thinking Ahead – une société de recrutement de cadres – entre autres. Un de nos principes dit que les personnes ne comptent pas, seuls les actes restent. Il faut se concentrer sur ce qu'on accomplit afin d'éviter de se consumer dans sa propre importance. Il arrive que des hommes d'affaires gâchent la vie des autres ou que des employés perdent leur emploi à cause d'un dirigeant d'entreprise narcissique. Si je devais choisir un seul principe, je dirais qu'il y a deux types de personnes dans ce monde, ceux qui cherchent des solutions et ceux qui cherchent des excuses. Il ne faut ni courage, ni intelligence, ni détermination pour trouver une excuse. Mais il faut des hommes et des femmes de qualité pour venir à bout des obstacles qui se dressent sur la route.

PARIS, SEPTEMBRE 2012

PAGES SUIVANTES

♦

From Fra Angelico to

LA PEINTURE DES NABIS
THE NABIS
Félix Vallotton

HAMLET
LE CID

CARPEAU

Impressionism
ANNE HIGONNET

BONNARD

♦

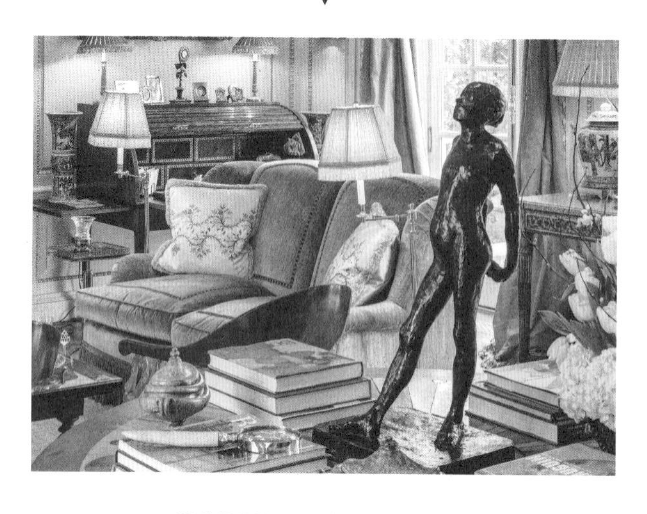

PARIS – NASHVILLE – NEW YORK – PARIS

ISABELLE CAHN

Nashville, Tennessee

S'écartant des rives de la rivière Cumberland et des buildings de la capitale du Tennessee, la route attaque une succession de collines arborées où se nichent d'invisibles propriétés. L'une d'elles marque l'aboutissement du périple qui mène de Paris à Nashville. L'arrivée dans un hôtel particulier inspiré de la rue de Grenelle est stupéfiante. Comme dans les contes de fées, les repères d'espace et de temps sont abolis dès le passage de l'allée pavée. Tout paraît étrange et familier dans ce lieu enchanté. Le sortilège se poursuit dans le jardin à la française agrémenté d'ifs taillés. Nous voici chez Marlene et Spencer Hays.

Il a fallu cinq ans pour construire ce bâtiment sur le modèle – un peu réduit – de l'hôtel de Noirmoutier, achevé en 1724 par l'architecte Jean Courtonne. Spencer Hays a choisi lui-même les pierres dans une carrière de Saint-Maximin et s'est rendu plusieurs fois sur place pour comparer leur couleur avec l'original. Un sculpteur français, Emmanuel Fillion, est venu à Nashville pour réaliser les ornements de la façade tandis que l'escalier en pierre du vestibule a été taillé à la Fondation de Coubertin. Toute une tradition d'art français revit ainsi dans ce lieu perdu au milieu de nulle part, selon la seule volonté de ses propriétaires et leur rêve inouï. « L'impression d'être dans une maison française est très importante pour nous », précisent les Hays. Le plan labyrinthique du bâtiment, avec ses enfilades de pièces de réception, sa bibliothèque, ses portes dérobées, ses chambres multiples, correspond à la complexité d'un projet esthétique sophistiqué où les beautés s'additionnent, les siècles cohabitent, les modèles fusionnent. Les moulures de l'entrée, du grand salon et de la bibliothèque imitent celles du bâtiment néoclassique de la Frick Collection à New York, dont le dessin a été pris à main levée par l'architecte Daniel Lee. Les couleurs douces des salons – vert amande, beige rosé –, reprises du XVIIIe siècle, mettent en valeur le mobilier et les tapis précieux, tandis que les murs de la salle à manger, tendus d'indienne, et les boiseries acajou de la bibliothèque donnent un cadre chaleureux à ces pièces plus intimes. Des parquets à la Versailles provenant d'un hôtel particulier du XVIIIe siècle, achetés à Paris, apportent une touche raffinée aux pièces de réception.

Cet écrin exceptionnel, où les Hays ont emménagé en 2004, a été conçu pour abriter les innombrables trésors artistiques – tableaux, dessins, sculptures, gravures, livres précieux – rassemblés au fil du temps. La disposition des œuvres sur les murs, à touche-touche sur plusieurs rangs, s'inspire du modèle des grands collectionneurs européens, comme Emil Bührle dans sa maison-fondation de Zurich. Cette saturation de l'espace favorise les échanges dynamiques et les dialogues singuliers entre les œuvres, tout en permettant de combiner une sensibilité personnelle et une narration historique à laquelle Spencer Hays est très attaché. « J'aime apprendre », explique cet intuitif en évoquant ses conversations avec les historiens de l'art et les marchands. « L'étude du contexte avant l'acquisition d'une œuvre est très importante, renchérit son épouse. La recherche fait partie du plaisir de l'acquisition. Elle peut prendre jusqu'à une année complète voire plus. » Mais les éléments historiques ne constituent pas l'unique facteur de décision pour un achat. Des considérations plus intimes s'imposent souvent. Le couple est parfaitement rodé à ce compromis. Aussi chaque œuvre a-t-elle trouvé sa place dans cet environnement, et lorsque l'une d'elles est prêtée pour une exposition, une copie vient s'y substituer sur le mur. La symétrie domine dans cette présentation, qu'il s'agisse des petits formats superposés ou des grands panneaux accrochés en pendants, comme *Le Printemps* et *L'Automne* P. 77, conçus en 1894 par Maurice Denis pour les vantaux d'une double porte de la salle de réception de la demeure d'Arthur Huc, le directeur de *La Dépêche de Toulouse*. Ces derniers, avec leurs bordures peintes imitant des tapisseries des Gobelins, sont placés entre les trois hautes portes-fenêtres du salon donnant sur le jardin. En 1999, les panneaux avaient quitté la France pour rejoindre une collection particulière au Japon où le couple les récupéra, par l'intermédiaire du galeriste Waring Hopkins, qui contribua beaucoup à former le goût de Spencer Hays. Dans cet enchaînement fluide où l'on passe d'une toile impressionniste à un tableau académique, d'une paire de consoles dessinées pour Marie-Antoinette à des créations uniques de l'Art Nouveau, le visiteur réalise soudain la qualité du silence qui enveloppe les œuvres, un silence de grande banlieue résidentielle à peine troublé de temps à autre par le bruit lointain d'un avion. Dans ce cadre sophistiqué, elles rayonnent d'une vie singulière et le plaisir de leur contemplation est encore plus fort.

Les Hays ont débuté leur collection dans les années 1970. À l'occasion d'un voyage à New York dans le but de rencontrer un décorateur, Marlene Hays a rapporté l'ektachrome d'un tableau de Bartholomaeus Maton, *Garde fumant la pipe*, achetée dans une galerie de Manhattan. « Tu veux dépenser autant d'argent pour une image ? » lui reproche gentiment son mari. « Mais ce n'est pas une image, se défend-elle, il s'agit d'une peinture. Et il n'est pas question d'en négocier le prix. » À l'instar de beaucoup de leurs compatriotes collectionneurs, les Hays achètent alors de l'art américain, remportant leurs trophées au feu des enchères dans les maisons de vente internationales de New York et de Londres. John White Alexander, William James Glackens, Childe Hassam, Jerome Myers, Maurice Prendergast, Theodore Robinson ou encore William Rothenstein sont toujours présents dans leur collection. Mais bientôt leur intérêt est happé vers d'autres horizons esthétiques.

Comme les Havemeyer l'avaient été en leur temps avec les impressionnistes – mais « l'impressionnisme a atteint des prix insensés sous la poussée des acheteurs d'Extrême-Orient », souligne Spencer –, les Hays, à la suite des Josefowitz en Europe, sont des collectionneurs pionniers des Nabis. Ils possèdent des peintures et des dessins de premier ordre signés Bonnard, Vuillard, Maurice Denis, Maillol, Ranson. Lorsqu'ils découvrent ces artistes au début des années 1980, un changement radical se produit dans leur pratique de collectionneurs. Le temps se ralentit. Au feu des enchères, ils préfèrent désormais le contact direct avec les galeristes spécialisés comme Madame Berès et Waring Hopkins. Ils commencent également à s'intéresser au contexte des tableaux, à leur provenance, à leur cote, effectuant de nombreux voyages pour étudier les œuvres dans une bonne lumière et tester la pérennité de leurs coups de foudre. À cette époque, les Nabis n'ont pas encore atteint les prix qu'ils connaîtront après les expositions au Grand Palais à Paris et au Kunsthaus de Zurich en 1993-1994, au Palazzo Corsini à Florence et au musée des Beaux-Arts de Montréal en 1998, et les rétrospectives Bonnard, Vuillard, Maurice Denis.

La maison de Nashville est l'écrin des grands formats nabis auxquels elle offre une bonne hauteur sous plafond, ainsi qu'une lumière idéale. Parmi eux, se trouve le septième panneau des *Jardins publics* de Vuillard, *Les Premiers Pas* P. 184, conçus pour la salle à manger de l'hôtel particulier d'Alexandre Natanson, avenue du Bois. Spoliée par les nazis pendant la guerre, la toile fut restituée à sa propriétaire puis passa dans une collection suisse. Sa trace semblait perdue jusqu'à ce que les Hays l'achètent à la galerie Wildenstein de New York. Marlene avoue avoir un penchant particulier pour un autre Vuillard, *Fillettes se promenant* P. 172, qui lui rappelle ses deux filles enfants. Spencer et Marlene Hays aiment les mêmes sujets intimes et mystérieux, leurs désaccords sont minimes. Ils placent au-dessus de tout la peinture de Vuillard dont ils possèdent un nombre d'œuvres impressionnant. « Vuillard ne peint pas seulement des fleurs ; il peint sa famille. Et nous préférons les personnes aux paysages, affirment-ils avec chaleur. Les Nabis ont exprimé avec tant de subtilité la complexité de la psyché et des comportements humains. » Une version du *Corsage à carreaux* P. 51 de Bonnard, proche de celle du musée d'Orsay, est l'un des tableaux favoris de Spencer qui aime les couleurs rutilantes du Nabi « très japonard ». Pour le seul mur sans livres de sa bibliothèque de Nashville, il a choisi l'une de ses œuvres de jeunesse les plus originales, un paravent japonisant à trois feuilles orné de grues, de faisans et de canards P. 49.

Lors d'un premier voyage à Paris en 1971, les Hays découvrent au Petit Palais une toile monumentale de Fernand Pelez, *Grimaces et Misère*, grand succès du Salon de 1888. Cette *parade des humbles* représentant les portraits en majesté de saltimbanques anonymes bouleverse la routine des collectionneurs. Spencer n'a pas oublié ses origines modestes. La toile le touche par la grâce mélancolique de ses personnages et la noblesse de leur pauvreté. Quarante ans plus tard, une version réduite du tableau, remportée aux enchères le 5 mai 2011, rejoint sa collection P. 133. Bien qu'ils n'aient pas la place de l'accrocher sur leurs murs saturés d'œuvres, les Hays achètent cette toile de près de trois mètres de long. Rassembler tant de merveilles n'est pas seulement une affaire d'argent, c'est l'œuvre d'une vie, qui nécessite un ressort secret, presque toujours affectif. Marlene et Spencer Hays évoquent ainsi avec émotion la raison qui les poussa à acquérir un ravissant portrait de Berthe Morisot représentant une *Jeune fille au perroquet* [P. 130], daté de 1873. Découvert à l'occasion de l'exposition « The New Painting : Impressionism (1874-1886) » aux Fine Arts Museums de San Francisco en 1986, le modèle aux longs cheveux blonds retenus par un ruban de velours noir leur rappelait l'une de leurs filles. Il est aujourd'hui accroché sur un mur du grand salon de New York.

New York

L'appartement de New York, où les Hays se sont installés en 1996, est un tout autre univers. Situé au cœur de Manhattan, il a été remanié par l'architecte décorateur d'origine italienne Renzo Mongiardino, qui transforma les six chambres en deux espaces majestueux. Le volume, redistribué par les nouveaux propriétaires, a conservé intact le charme de son décor ; son exceptionnel *studiolo* notamment – héritage de Mongiardino –, présente des murs couverts d'une marqueterie représentant une vue panoramique de Manhattan, dans le goût des *vedute*, où se combinent des gratte-ciel new-yorkais et des édifices Renaissance.

Dans la galerie toute en largeur qui sert de vestibule, trois chefs-d'œuvre de l'art français accueillent le visiteur : un pastel de Degas des années 1890-1895, *Le Petit Déjeuner après le bain* [P. 72], aux tons chair et chocolat en harmonie avec la peinture du mur imitant des marbres polychromes réalisée par Mongiardino, un nu triomphant de Maillol, *L'Été* [P. 118], installé en pendant de la silhouette recroquevillée d'*Ève* [P. 146] de Rodin pour la *Porte de l'Enfer*. Le pastel et les deux sculptures constituent chacun une ode à la féminité sous trois aspects. Historiens de l'art, conservateurs de musées et marchands du monde entier ont franchi le seuil de ce temple de l'art français. « Tiens, un Goeneutte ! » s'exclama l'un d'eux en se précipitant sur une acquisition récente. Les familiers des lieux repèrent immédiatement toute nouveauté dans la collection. Les Hays éprouvent du plaisir quand les visiteurs s'émerveillent. La présentation de la collection constitue une autre source d'enchantement. Les restaurateurs qui la bichonnent à New York et à Nashville, ont remplacé certains cadres défectueux par des bordures anciennes dont les styles s'accordent avec les tableaux et qui assurent une transition douce entre l'œuvre et le mur, entre le mur et les meubles.

Alors que l'accrochage de Nashville met surtout en valeur des scènes de la vie intime et des portraits d'enfants, celui de New York laisse la place aux nus, aux créatures équivoques, aux scènes parisiennes du tournant du siècle, suggérant un monde de plaisirs teinté de mélancolie. Le délicat profil en médaille d'une femme peinte par Maillol – autre tableau favori de Spencer Hays – dialogue sur le mur principal du living-room avec une épaisse tranche de melon ou de citrouille par Fantin-Latour [P. 87], variation originale sur le thème de la vanité. Ce grand mur, composé autour du *Portrait de Jacqueline Fontaine* [P. 192] par Vuillard, est une leçon d'histoire de l'art à lui seul, une symphonie riche en associations chromatiques, narratives et formelles. Les tableaux sont placés en symétrie, sur trois rangs et deux colonnes, de part et d'autre de l'icône centrale, mais leur accrochage peut varier en fonction des prêts aux expositions consentis par les Hays, un tableau se substituant alors à un autre de même format.

Le plaisir d'inventer une histoire à travers la présentation des toiles entraîne des rapprochements inédits, comme *La Lettre* [P. 43] de Béraud, qui représente un couple attablé dans un café en 1908, avec le portrait de *Ludovic-Rodolphe Pissarro lisant* [P. 134] à une table, peint par son père en 1893. Le voisinage de ces toiles, exécutées à quatorze ans de distance par des artistes qui ne s'appréciaient guère, se justifie visuellement par la présence d'une table au centre des deux compositions. L'accrochage en chandelle, qui favorise les correspondances esthétiques ou sémantiques, fonctionne à merveille dans le cas de *Promenade au soleil couchant* [P. 105] de Childe Hassam, placé sous la *Jeune femme se coiffant* [P. 61] de Bonnard, ou encore celui de deux Corot couleur de miel et de châtaigne, *Portrait de Daumier* [P. 70] et *Fernand Corot, arrière-petit-neveu du peintre* [P. 71]. D'autres duos, en revanche, semblent être le fruit de la seule fantaisie des propriétaires, dont on admire la justesse du regard, comme celui du portrait de Vuillard par Bonnard [P. 178] avec le portrait de Bonnard par Vuillard [P. 180] exécutés la même année.

La distribution des tableaux sur les murs, le positionnement des sculptures et des objets d'art ont été conçus pour s'harmoniser avec les meubles anciens qui garnissent les pièces. « Cela ne s'explique pas, mais les tableaux nabis se marient très bien avec le XVIIIᵉ siècle français », constate Marlene Hays. Tout comme la peinture de la fin du XIXᵉ siècle s'accorde naturellement avec le somptueux ensemble de chaises et de canapés de Paul Follot disposé dans le living-room. D'autres rapprochements chronologiques plus audacieux stimulent le regard, telle la présence de *La Petite Laveuse* de Renoir, tout en courbes gracieuses, sur une table en bronze martelé d'Ingrid Donat. À l'opposé de certains collectionneurs qui revendent une partie de leurs œuvres pour continuer à acheter, les Hays préfèrent additionner leurs trésors, quitte à ne plus pouvoir ajouter un seul cadre sur les murs. « Je les regarde tous les soirs avant d'aller dormir », confie Spencer Hays, qui regrette encore de s'être séparé d'un Van Dongen de la période fauve. Les Hays ne sont pas des *Trophee collectors* ; ils n'achètent que ce qu'ils aiment, et tous deux apprécient les couleurs intenses des Nabis et la peinture heureuse. Ils n'hésitent pas, cependant, à faire des détours par l'étrange : ainsi ce paysage symboliste de Ranson [P. 140], hérissé de branches et de tiges tordues comme sous l'effet d'un mauvais sort ou d'une douleur.

Les œuvres nombreuses se déploient dans toutes les pièces de l'appartement. Deux Caillebotte, *Rosier et iris mauve* [P. 68] et *Nature morte au homard* [P. 67], *Au Skating* [P. 92] de Forain et *Les Lavandières* [P. 113] de Maillol figurent en majesté sur le papier peint imitant des panneaux lambrissés de bois blond réalisé par Mongiardino dans la salle à manger. La salle du petit-déjeuner est saturée par la présence d'une grande toile conçue pour le Salon par Paul Lecuit-Monroy, un élève de Bouguereau à l'académie Julian, devenu plus tard un créateur de décors de films pour Méliès. « C'était le seul mur possible pour accrocher cette représentation d'un artiste dans son atelier », précise Marlene. On sent que le sujet lui tient à cœur, comme l'indique la présence de nombreux portraits d'artistes dans la collection. « C'est notre façon d'exprimer le respect que nous ressentons pour eux. »

L'office et la cuisine accueillent des natures mortes de fruits, de fleurs, de légumes, signées Renoir [P. 144], Éva Gonzalès [P. 102], Vollon [P. 162], des thèmes évoquant la fonction des lieux. La présence d'appareils performants, d'ustensiles culinaires et de vaisselle confirme la possibilité de mitonner des petits plats à proximité de toiles de maîtres. Mais est-il concevable de prendre une douche dans la précieuse salle de bains aménagée par Renzo Mongiardino, où une *Ondine* de Carrier-Belleuse en bronze patiné et doré surplombe l'immense baignoire encastrée dans un coffrage en bois vernis ?

Les chambres à coucher de l'appartement sont dévolues à des thèmes exclusivement féminins montrant des beautés au naturel. Des portraits de femmes douces ou plongées dans une rêverie intérieure, exécutés par Lemmen [P. 110-111], Raffaëlli, Alexander, Stevens, Robinson, suggèrent la mélancolie de la claustration. Belles et élégantes mais prisonnières de leur cadre doré, ces femmes tissent des liens secrets avec un univers romanesque à la Virginia Woolf : « "Vous", "moi", "elle", passons et disparaissons ; rien ne demeure ; tout change ; mais pas les mots, pas la peinture » (*La Promenade au phare*). La superposition d'un bouquet de fleurs de Fantin-Latour avec un *Portrait de femme à l'écharpe bleue* tenant une corbeille de roses, peint par l'un des plus authentiques représentants de l'impressionnisme anglais, Philip Wilson Steer, témoigne encore de cette vision littéraire d'un accrochage finement étudié, mêlant réalisme et symbolisme.

Spencer Hays avoue son enthousiasme pour les dessins, notamment ceux de Vuillard. Caricatures de jeunesse, portraits-charge d'acteurs, scènes de rue, études préparatoires pour des portraits ou des scènes d'intérieur sont accrochés, du sol au plafond, sur le mur d'un petit couloir. Ces croquis pris sur le vif conservent toute la spontanéité du regard de l'artiste sur le monde du spectacle, au temps du théâtre de l'Œuvre de Lugné-Poe dont il fut le metteur en scène. Plusieurs dessins ont été réalisés au dos d'une facture à en-tête de l'atelier de corsets de Mme Vuillard ; Spencer Hays, dont une partie de l'activité est consacrée à la confection de luxe, est sensible à cette évocation de l'atelier de couture où Vuillard puisa son inspiration dans la sensualité des étoffes bariolées. Ce monde de froufrous et de falbalas n'est d'ailleurs pas étranger à l'intérêt du collectionneur pour la vie parisienne. Dans son dressing-room où sont accrochées des œuvres graphiques, l'humour de Forain côtoie les complaintes de Steinlen et les charges de Daumier. Plusieurs de ces feuilles pleines de verve étaient à l'origine des illustrations pour la presse. L'amour des œuvres sur papier, des livres et des reliures est une autre passion de Spencer Hays qui débuta professionnellement par la vente d'ouvrages au porte-à-porte pour la Southwestern Company avec laquelle, cinquante-sept ans plus tard, il travaille toujours. Ainsi a-t-il réuni l'une des plus importantes bibliothèques privées d'ouvrages anciens et du XIXe siècle comprenant des éditions rares et des livres d'artistes. Tout en évoquant cet intérêt toujours très vif, le bibliophile caresse le cuir d'une reliure, puis ouvre avec délicatesse une édition de *Dingo* d'Octave Mirbeau sur une illustration de Bonnard. Dickens est resté l'un de ses auteurs favoris, peut-être en raison de ses origines modestes ou de l'empathie qu'il ressent vis-à-vis des êtres fragiles et de l'enfance malheureuse. Spencer Hays, qui possède son œuvre complet dans des éditions princeps, se considère comme le dépositaire de ces trésors, et non comme un propriétaire jaloux à la manière d'un Pons. Il aime faire partager ses découvertes, surprendre les érudits par des raretés telles ces sept lettres adressées par Matisse à Florence Gould, enluminées de nombreux croquis et accompagnées de quatre pages de dessins réalisés pour elle.

Une collection est toujours un autoportrait. Dans son bureau de la Tom James Company à Manhattan, Spencer s'est entouré d'œuvres en rapport avec ses activités de businessman, tels ces projets de tissus peints par Dufy qui illuminent la tapisserie marron à carreaux blancs des murs. Dans cet univers masculin, un escrimeur de Jacques Ochs côtoie un groupe d'artistes par Rothenstein P. 147. Vêtus de longs imperméables qui les font ressembler à des conspirateurs, ces derniers évoquent l'atmosphère des scènes nocturnes de Joyce où, dans la banalité du quotidien, surgit un destin exceptionnel. Peut-être s'agit-il également du sens secret de cette nature morte disposée sur le marbre d'une console, composée d'une paire de ciseaux de tailleur posée à côté d'une édition originale du livre d'Irving Wallace, *The Fabulous Showman : The Life and Times of P. T. Barnum* ? La biographie du célèbre entrepreneur de spectacles américain, Phineas Taylor Barnum, parti de sa province pour atteindre une notoriété planétaire, n'évoque-t-elle pas la vie extraordinaire de l'homme d'affaires et ses *success stories* ?

Chaque année depuis 1971, les Hays séjournent pendant plusieurs semaines à Paris, près de la rue de Grenelle et de ses hôtels particuliers, entre cour et jardin, qu'ils aiment tant. Leurs journées sont rythmées par la chasse aux œuvres d'art chez les antiquaires, et dans les maisons de ventes, ainsi que les visites aux expositions et aux musées. Leur amitié avec Guy Cogeval, rencontré à New York en septembre 2001, a infléchi le cours de leur collection en l'orientant davantage du côté des Nabis. Celle-ci est devenue l'une des plus fameuses pour l'art de la fin du XIXe siècle français. Et lorsque Guy Cogeval, en 2009, a été nommé président du musée d'Orsay, l'idée de faire revenir dans leur pays d'origine les peintures et les dessins conçus par des artistes français de la seconde moitié du XIXe et du début du XXe siècle a commencé à germer. Pour faire partager leur passion de la culture française, les Hays ont accepté de dégarnir leurs murs de New York et de Nashville afin de permettre aux visiteurs du musée d'Orsay de découvrir ces chefs-d'œuvre. Qu'ils en soient ici profondément remerciés.

I. C.

♦

PIERRE BONNARD
La Jeune Fille au parapluie, 1894
Huile sur bois, 26,7 × 17,5 cm

PIERRE BONNARD

Étude préparatoire pour le troisième panneau du paravent *Promenade des nourrices, frise de fiacres*, vers 1894

Crayon, gouache noire, craie blanche sur papier, 133 × 47,7 cm

« Tout a son moment de beauté », aimait à dire Bonnard ; il revenait désormais aux artistes de tirer la grâce du quotidien et de ses révélations imprévisibles. Deux gamins poussant leur cerceau à toute allure, déchirant la place de la Concorde, cela suffisait à Bonnard au milieu des années 1890 ! Du reste, Maurice Denis, son ami et son contraire, le situait parmi les peintres de la vie moderne chers à Baudelaire et Mallarmé. Ce dernier n'avait aucun rival dans le cœur de Bonnard pour qui la représentation de la vie ordinaire ne se dissociera jamais de la « recherche de l'absolu » ; l'expression, prise au poète, se lit en septembre 1940 sur l'un des petits carnets dans lesquels le peintre notait la météo du jour et ses obsessions de pinceau. Ce double souci, constant, charmant, en fait le Nabi le plus japonard et le plus détaché de toute lourdeur. L'estampe orientale, « naïve et criarde », à laquelle il emprunte beaucoup au début était avant tout une incitation à détourner les codes figuratifs, espace, couleur et dessin. Bonnard, d'emblée, s'amuse à piéger la perception et à distiller un certain esprit charivarique, avant même de créer les marionnettes de la première d'*Ubu roi*... L'instabilité optique de ses tableaux, jusqu'au chahut solaire des derniers, ne découle pas d'un impressionnisme tardif ou excessif ; elle procède d'un mode d'être au monde. La voie capricieuse que choisit Bonnard s'affiche très tôt, du délicieux fouillis de *La Partie de croquet* (1892, Paris, musée d'Orsay) au célèbre *Omnibus* (1895, collection particulière), faux instantané d'une jeune Parisienne en noir dont la silhouette serpentine se mêle aux essieux d'une roue gigantesque. Les formes apparaissent comme malléables à l'infini, les corps délestés de leur pesanteur, la perspective et le dessin privés de leur pouvoir traditionnel de garde-fou. Il s'agit simplement de représenter une émotion, une ambiance, en sa perception active. « L'idée est de faire parler les choses et les gens », écrit-il le 11 février 1893. Le symbolisme de Bonnard n'est pas déni du réel mais refus d'en geler la forme. Paravent à quatre panneaux peints, la *Promenade des nourrices* fit partie de la première exposition de Bonnard chez Durand-Ruel. Sa version lithographique atteint, dans le cocasse épuré, un niveau savoureux, Bonnard parvenant à faire vivre et signifier le vide où virevolte son groupe central. La frise supérieure des calèches et des nourrices à l'arrêt suspend l'œil du spectateur à leur contrepoint ironique.

S. G.

PIERRE BONNARD
Étude pour le paravent
Promenade des nourrices, frise de fiacres, 1894
Aquarelle sur traits de crayon sur papier, 27 × 50 cm env.

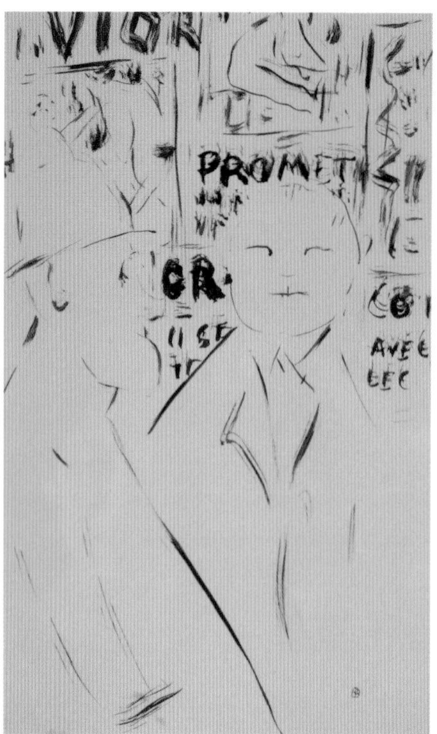

♦
Femme nue debout, de face, s.d.
Crayon sur papier,
31,1 × 20 cm

♦
PIERRE BONNARD
Deux hommes devant des affiches [VIOR],
vers 1920
Crayon et encre, 31 × 20 cm

♦
Le Couple, s.d.
Aquarelle et encre sur papier,
31,4 × 20 cm

♦

PIERRE BONNARD
B comme Brouille, 1893
Aquarelle et crayon sur papier,
25,4 × 31 cm

♦

Étude pour *Femme et enfants,*
scène de rue (verso), 1893
Encre et fusain (verso), 30 × 30,5 cm

PIERRE BONNARD

Projets d'affiche et partitions illustrées, 1889-1895

C'est avec une affiche que Pierre Bonnard réalise son premier coup d'éclat artistique : en 1891, sa lithographie pour France-Champagne lui vaut la reconnaissance de la critique, mais aussi de ses pairs, au point de décider Toulouse-Lautrec à s'essayer à cet art. Elle lui vaut surtout une seconde commande, celle d'une couverture de partition musicale sur le même thème. Ainsi Bonnard, le coloriste, est-il d'abord remarqué pour son travail d'illustrateur et de lithographe. Désireux, comme ses amis nabis, de mettre en rapport « l'art avec la vie », animé par « l'idée d'une production populaire et d'application usuelle », il pratiquera cet art avec constance jusqu'en 1947, et Tériade lui consacrera alors un numéro entier de la revue *Verve*.
Entre 1889 et 1892, le jeune Bonnard fourmille d'idées d'illustrations pour la publicité, les partitions musicales ou le théâtre. Peu d'entre elles ont été réalisées et seuls quelques dessins préparatoires nous sont parvenus. Parmi eux, deux projets d'affiches d'opéras à la mise en page dynamique, au graphisme nerveux et rythmé. Pour le *Hamlet* d'Ambroise Thomas, l'artiste imprime aux motifs schématiques qui envahissent la page, divisée par une diagonale prononcée, une force tout autant symbolique que décorative. L'ombre d'un Hamlet penseur se détache ainsi d'une forêt de points d'interrogation formant arabesque, alors qu'Ophélie évolue dans un décor de fleurs, dont seule l'énorme rose centrale semble entrer en contact avec l'univers du héros.
Dans l'esquisse pour l'affiche du *Cid* de Massenet, Bonnard joue un peu plus encore du dialogue, voire de la confrontation, entre le figuratif et le décoratif : la diagonale brisée qui sépare la page en deux registres oppose le symbole royal, devenu motif décoratif, à l'espace de la narration, qu'il choisit à son acmé – don Rodrigue donne l'ordre à ses soldats de prendre les armes et de jurer « de conquérir ou de mourir », alors que l'on aperçoit Chimène éplorée, silhouette serpentine, à l'extrême gauche de la composition.

C. B.

♦

Hamlet d'Ambroise Thomas, projet d'affiche, 1889
Crayon, aquarelle et encre noire sur papier, 30,3 × 18,4 cm

♦

Espièglerie. Morceau de F. Thome, étude pour une partition illustrée, vers 1895
Crayon, aquarelle et encre noire sur papier, 23,2 × 15,2 cm

♦

Le Cid de Jules Massenet, projet d'affiche, 1891-1892
Aquarelle et encre de Chine sur papier, 31,8 × 20 cm

♦

Pas redoublé, étude pour une partition illustrée, vers 1893
Aquarelle et encre de Chine sur papier, 39,4 × 30,8 cm

◊

HAMLET
OPERA
AMBROISE
THOMAS

LE CID
OPERA
MASSENET

PAS REDOUBLÉ
MORCEAU
EMILIO MENDIRI

♦
PIERRE BONNARD
Femme arrosant un géranium à sa fenêtre, vers 1895
Huile sur carton, 24,8 × 18 cm

♦
PIERRE BONNARD
Café dans le Bois, dit aussi *Jardin de Paris*
(partie d'un triptyque), 1896
Huile sur toile, 48 × 33 cm

♦

PIERRE BONNARD

Jeune femme se coiffant, vers 1896

Huile sur carton, 54 × 36 cm

◊

PIERRE BONNARD

L'Heure des bêtes : les chats, dit aussi *Le Déjeuner des bêtes (La Famille Terrasse)*, 1906

Huile sur toile, 75 × 108 cm

« Montrer ce qu'on voit quand on pénètre soudain dans une pièce d'un seul coup » : c'est cette volonté de synthétisme visuel qui semble guider Bonnard lorsqu'il réalise, dès le tournant du siècle, un ensemble important de variations autour de scènes de la vie domestique, prises sur le vif, où le temps donne l'illusion de s'être arrêté. Il prend pour motif son cercle amical et familial, mais aussi et tout autant les tables dressées d'une salle à manger, approfondissant, d'une toile à l'autre, son travail sur la composition de l'espace, jouant sur la multiplicité des points de vue comme sur la lumière.

Ses séjours estivaux dans la propriété familiale du Grand-Lemps, où il rejoint sa sœur Andrée et son beau-frère, le compositeur Claude Terrasse, lui fournissent le motif d'un ensemble important de ces peintures intimistes. Dans cet univers familier, chiens et chats occupent leur place. Ainsi, dans *L'Heure des bêtes*, Bonnard saisit-il l'intimité d'une scène plus qu'il ne réalise un portrait de famille : Andrée et Claude, comme surpris dans un geste quotidien, nourrissent leurs animaux. Aucun regard n'est échangé, aucune communication n'est perceptible entre les modèles comme avec le peintre, pourtant une atmosphère d'intimité partagée se dégage de la scène. Dans une œuvre de composition très proche, réalisée au même moment, *Le Dîner*, dit aussi *Le Goûter* (Zurich, collection privée), Bonnard a représenté cette même scène tout en modifiant légèrement le cadrage et les poses, comme pour deux prises de vue photographiques consécutives : nous retrouvons là l'immédiateté de la perception et l'instantanéité de la photographie qu'il pratique en amateur depuis 1890.

C. B.

♦

PIERRE BONNARD

La Dame en brun, 1894

Huile sur papier marouflé sur bois,

44 × 21,5 cm

♦

PIERRE BONNARD

Fruits, 1920, achevé vers 1940

Huile sur toile, 35 × 31 cm

◊

GUSTAVE CAILLEBOTTE

Nature morte au homard, 1883

Huile sur toile, 38 × 55 cm

Un semblable sentiment de vide et d'étrangeté enchaîne les natures mortes de Caillebotte à ses tableaux d'histoire, ceux qui font des ouvriers et des oisifs de la cité haussmannienne les héros d'un dynamisme morose, mécanique pour ainsi dire. Que la photographie, machine célibataire, ait tenu autant de place dans son cadre familial et sa réflexion picturale ne saurait donc surprendre. Le sentiment de la mort ou l'absence au monde, ce que le nouveau médium tente en somme d'exorciser par son illusoire capture du temps, éclate à la surface de ses compositions cinglantes, même les plus colorées. Mélancolie et acuité font bon ménage. De tous les acteurs de l'aventure impressionniste, Caillebotte est celui qui aura poussé le plus loin l'obsession du cadrage et du regard actif, le souci des lignes de fuite singulières et des perspectives désaxées, vues en contre-plongée ou en surplomb, à l'instar du présent tableau. Manet et Degas, qu'il a collectionnés, semblent plus sereins en comparaison, moins hantés par leur propre finitude. La nature morte, ici, échappe au décoratif et à la répétition. Avec son œil toujours juste, Huysmans le note en 1882, lors de la septième exposition impressionniste où Caillebotte réunit pas moins de dix-sept tableaux. Le critique, deux ans plus tôt, enregistrait déjà la nouveauté que le peintre apportait à un genre si codifié, tant il tranchait sur les maîtres anciens et les autres membres du groupe. À rebours de Monet et Renoir, Caillebotte ne s'abandonne qu'à regret aux plaisirs de la bouche lorsqu'il s'empare d'une batterie de gâteaux appétissante, d'une poignée de fruits ou de simples crustacés prêts à être consommés. Animal ou végétal, le sujet ne semble jamais traduire le libre épanouissement de la vie. Au contraire, Caillebotte insiste cruellement sur la courte durée des motifs de sa peinture. Tout est voué à disparaître, comme le disent les marchands de saisons, les pâtissiers et les bouchers, auxquels nous savons qu'il empruntait la science de l'étalage. Le tableau de Marlene et Spencer Hays, brouillant la frontière entre espace privé et espace public, le froid perlé du marbre et l'éclat massif du rouge, combine aussi les préparatifs d'un repas fictif et l'inquiétante menace d'un homard disproportionné. Rarement la peinture de Caillebotte avait concentré avec autant de force et de mystère l'ironie des destins modernes.

S. G.

G Caillebotte

♦

GUSTAVE CAILLEBOTTE
Rosier et iris mauve,
jardin du Petit-Gennevilliers, 1892
Huile sur toile, 79 × 36 cm

♦

ALBERT-ERNEST CARRIER-BELLEUSE
Diane victorieuse, s.d.
Bronze, H. 76,2 cm

♦

ALBERT-ERNEST CARRIER-BELLEUSE
Nu aux roseaux, vers 1865-1875
Terre cuite, H. 71,12 cm

♦

CAMILLE COROT

Portrait de Daumier, vers 1870

Huile sur panneau, 20,5 × 15 cm

♦
CAMILLE COROT
L'Atelier de Corot (Jeune femme en robe rose assise devant un chevalet et tenant une mandoline), vers 1870-1872
Huile sur toile, 64 × 48,4 cm

♦
CAMILLE COROT
Fernand Corot, arrière-petit-neveu du peintre à l'âge de quatre ans et demi, 1863
Huile sur toile, 30,5 × 21 cm

EDGAR DEGAS

Le Petit Déjeuner après le bain, vers 1890-1895

Pastel et fusain, 61 × 74 cm

Les débuts de Degas ressemblent si peu à ses danseuses et à ses champs de courses que l'on a longtemps préféré les tenir pour quantité négligeable. Ils nous parlent d'un peintre encore très marqué par sa culture ingresque et son long séjour en Italie. Rejeton de la grande bourgeoisie, Degas a fréquenté autour de 1855 l'atelier de Lamothe, un élève de Flandrin chez qui se perpétue l'enseignement d'Ingres. Durant les années 1856-1860, à la faveur des réseaux de la banque familiale, Degas accomplit son Grand Tour au-delà des Alpes, où Gustave Moreau et Léon Bonnat lui servent épisodiquement de compagnons. C'est l'heure bénie de la découverte des grands fresquistes des XVe et XVIe siècles. À son retour, et en vue d'affronter le Salon sur le terrain de la grande peinture, il amorce plusieurs compositions à sujet historique, tendance qu'il adapte aux temps nouveaux dès la décennie suivante. Il en résulte, avec des succès variables, une fusion savoureuse, l'iconographie du turf, du bordel et du tub se mêlant à la richesse iconographique et psychologique de la défunte peinture d'imagination. On aurait tort, en effet, d'ignorer les hautes ambitions qui se profilent derrière le virage moderne de l'artiste. Ses nus en particulier, quand ils ne se bornent pas à exalter une esthétique de la ligne repensée, libèrent un rituel érotique très marqué par la culture rocaille de l'artiste. Que ses femmes aux hanches charnues y entrent ou en sortent, la baignoire leur offre plus qu'un instrument d'ablutions intimes ou une réponse insolite aux courbes caressées par le pastel. Marqueur social, cette haute cuve a remplacé le tub et impose une présence moins discrète, plus contemporaine, pour le dire d'un mot. Si cette propreté rassure au regard de nos critères, elle n'est pas nécessairement un signe d'honnêteté selon ceux de la fin du XIXe siècle. Degas accroît l'ambiguïté de ses images en s'autorisant les poses les plus suggestives, voire les plus scabreuses. Il opte alors pour ce que le peintre André Masson appellera « la vue de près », prédation optique et saisie corporelle. La pratique assidue de la photographie aura favorisé cette manière de *close up*. Plus que le ballet, nécessairement chaste, le bain et ses entours donnent lieu aux mises en scène les plus piquantes. La tasse de chocolat, clin d'œil à Liotard et à la France de l'Ancien Régime, y ajoute ici une note supplémentaire de perversité aristocratique.

S. G.

EDGAR DEGAS
Trois cavaliers, s.d.
Fusain sur papier, 27 × 36 cm

♦

EDGAR DEGAS

Danseuse à mi-corps se coiffant, vers 1900-1912

Pastel, 36,8 × 27,9 cm

♦

EDGAR DEGAS
Femme s'épongeant le dos, vers 1895
Pastel sur papier marouflé sur carton,
70 × 60 cm

◊

MAURICE DENIS

Le Printemps ; *L'Automne, imitation de tapisserie*, 1894

Huile sur toile, 230 × 100 cm chaque

Le grand mouvement de rénovation de l'art initié par Gauguin s'est accompagné d'un intérêt renouvelé pour les arts décoratifs. Dès le début des années 1890, les Nabis s'illustrent dans le domaine de la décoration murale et réclament, selon le témoignage de Jan Verkade, « des murs, des murs à décorer ! » De tous, c'est Maurice Denis qui poursuivra le plus régulièrement cette activité, répondant, avant la consécration des grands décors pour des édifices religieux ou publics, à la demande d'amis et de mécènes. *L'Automne* et *Le Printemps*, peintures en « imitation de tapisserie » commandées par Arthur Huc en 1894 pour sa maison de Toulouse, font partie des premiers décors de l'artiste – il a jusqu'alors réalisé deux plafonds pour les hôtels particuliers de ses amis Henry Lerolle et Ernest Chausson. Journaliste et homme de pensée, Arthur Huc, nouveau rédacteur en chef de *La Dépêche de Toulouse*, est un amateur d'art éclairé, sensible aux nouvelles tendances de la peinture. Il s'investit beaucoup dans cette commande et souhaite que Denis s'inspire des imitations de tapisseries alors très populaires qui, peintes sur des toiles à gros grains, imitent la texture grossière des tapisseries médiévales ou Renaissance.

Denis conçoit rapidement les grandes lignes de la composition, déjà lisible dans ses deux études peintes. Se dégageant rapidement des « conseils » de son mécène, il imagine deux panneaux symétriques sur toiles fines, présentant deux figures allégoriques de saison, accompagnées chacune d'une triade féminine, dans une forêt inondée de soleil, vraisemblablement inspirée de celle de Saint-Germain-en-Laye (l'on devine la mare aux Canes à l'arrière-plan du *Printemps*). Les bordures décoratives aux motifs de feuillages, différenciées selon les saisons, renforcent l'impression de densité des sous-bois. Destinées dans le projet de départ à servir de portières, ces toiles seront finalement intégrées, sous forme de panneaux, dans la boiserie à doubles vantaux de la porte du salon. Auparavant, elles auront été brièvement présentées à l'exposition de lithographies et de peintures qu'Arthur Huc organise en mai 1894 dans le hall du siège toulousain de *La Dépêche*, aux côtés d'œuvres de ses amis nabis ou de Toulouse-Lautrec.

C. B.

MAURICE DENIS
Portrait de Marthe de face, vers 1893
Huile sur toile marouflée
sur panneau, 18 × 12 cm

♦

MAURICE DENIS

Au jardin, éventail, 1890
Aquarelle, gouache et crayon sur papier,
26,7 × 49,6 cm

♦

Femme à la rose (recto), s.d.
Aquarelle et crayon, 12,7 × 20 cm

♦

MAURICE DENIS

Le Goûter sur la cale, soir,
dit aussi *Le Goûter au Pouldu*, 1900
Huile sur toile, 74 × 97 cm

♦
ANDRÉ DERAIN
Nu debout, vers 1935-1936
Crayon sur papier, 33 × 15,2 cm

♦
ANDRÉ DERAIN
Tête de femme, vers 1919
Crayon sur papier, 40,2 × 28,5 cm

♦

ANDRÉ DERAIN

Arlequin à la guitare, debout, s.d.

Huile sur panneau, 53,7 × 45,1 cm

◊

RAOUL DUFY

Projets de textile

Parallèlement à ses recherches de peintre, Raoul Dufy a toujours développé un travail d'illustrateur, de graveur, de décorateur, de céramiste et de créateur dans le domaine textile. Son intérêt pour des champs de création si divers révèle sa curiosité d'esprit qui se double d'un intérêt passionné pour la technique artisanale, le « métier ».
Dès 1910, Dufy entreprend des collaborations fécondes avec Paul Poiret, puis avec la firme lyonnaise de soieries Bianchini Férier à laquelle il fournira près de quatre mille projets, transposés en impressions sur tissus destinés à l'habillement ou à l'ameublement. L'impression sur étoffes implique une technique spécifique qui convient à son goût pour l'ornement et les motifs répétitifs, déjà perceptible dans ses gravures (notamment ses bois gravés pour *Le Bestiaire ou Cortège d'Orphée* de Guillaume Apollinaire, réalisés en 1910). Il trouve également là un terrain d'expérimentation du principe de la couleur-lumière qu'il développera dans ses créations picturales, entendant montrer que « la décoration et la peinture se désaltèrent à la même source » : « Il a toujours existé pour moi un certain ordre de la couleur qui pourrait se formuler ainsi : couleur = lumière. Concept de peintre ? Sans doute. Mais de cet axiome découvert vers 1908, j'escomptais bien tirer une application pratique pour la décoration. [...] Grâce à Poiret et à Bianchini Férier, j'ai pu réaliser cette relation de l'art et de la décoration. »
L'amour du peintre pour les tons purs et l'arabesque, déjà manifeste dans sa période fauve, lui est un précieux apport pour l'art ornemental des tissus. C'est autour de motifs simples issus du bestiaire, mais surtout du monde végétal ou floral, qu'il développe sa recherche, restant fidèle dans ce choix à la tradition des « indiennes ». Ainsi, le motif de la rose, schématisée du temps de la Petite Usine – son atelier de création issu de sa collaboration avec Poiret –, est un *leitmotiv* de sa production pour Bianchini Férier.
Le dessin structuré des fleurs, parfois enserrées dans un médaillon, s'assouplit peu à peu et prend plus de liberté dans les années 1920.
C. B.

♦
Fleurs et feuilles en gris et jaune, projet de textile, vers 1920-1928
Gouache et traces de crayon sur papier, 26,5 × 31 cm

♦
Fleurs roses sur fond bleu, projet de textile, s.d.
Gouache et traces de crayon sur papier, 25,5 × 23,2 cm

♦
Roses dans médaillons, projet de textile, s.d.
Gouache, aquarelle et traces de crayon sur papier, 65 × 50,1 cm

♦
Rose sur fond rayé, projet de textile, vers 1920-1928
Gouache et traces de crayon sur papier, 19 × 43,5 cm

◊

HENRI FANTIN-LATOUR

Nature morte (bouquet de roses et pêches), 1872

Huile sur toile, 42 × 32,5 cm

Sait-on qu'Henri Fantin-Latour, dont les portraits collectifs continuent à faire le tour du monde, fut d'abord, et essentiellement, un peintre de fleurs ? Plus de cinq cents de ses toiles sont là pour le rappeler. Il est vrai qu'elles sont principalement conservées et appréciées hors de France. En outre, elles ont toujours suscité des réactions contradictoires de la part du public et de l'artiste lui-même, souvent condamné à s'en contenter, par nécessité économique, aux dépens de la grande peinture, instantanés de la vie moderne ou « sujets d'imagination ». Très tôt, en effet, on le voit se jeter dans l'univers wagnérien ou les fantaisies vénitiennes, le tout très coloré et capricieux au regard de sa production habituelle où règne, au contraire, une sorte de probité néerlandaise, voire de propreté douloureuse.

Elle tenait aussi à sa stricte éducation religieuse et à ses déboires sentimentaux. Dès la fin des années 1850, après son échec à l'École des beaux-arts, Fantin a pourtant rejoint les eaux troubles de la bohème réaliste. Carolus-Duran, Whistler et Alphonse Legros tentent alors, comme Manet, de donner un second souffle, plus urbain et plus nerveux, à la leçon de Courbet. Même la nature morte s'en trouve transformée. Loin, très loin des experts en botanique ou des fanatiques du jardinage, Fantin-Latour enveloppe ses fleurs et ses fruits, si bien composés, d'un regard de citadin et d'homme raffiné. Ni la leçon de choses ni la plante en pot ne conviennent au suiveur de Chardin et au féru des Japonais.

Par l'entremise de Whistler, le marché anglais s'ouvre à lui dès 1861, et conditionne une production soutenue de petits bouquets, plus ou moins corsetés. À l'occasion du Salon des Refusés de 1863, où Fantin-Latour figure en bonne place aux côtés de Manet et Whistler, Zacharie Astruc exalte le peintre des douces expressions, salue le contemplatif : « Pour montrer dans toute sa fraîcheur et sa grâce et sa force aussi, le talent de ce peintre, il faudrait pouvoir parler de ses tableaux de fleurs si appréciés dans le monde artistique [...]. Ses fleurs sont autant de merveilles de goût, d'art, de coloris. Elles intéressent autant qu'elles charment, et même on peut dire qu'elles touchent. » Leur magnétisme caresse et s'accroît à la lecture. En 1872, l'année où Durand-Ruel lui achète en bloc plusieurs natures mortes, il signe ce tableau, des roses à pétales serrés, des pêches pleines de soleil, au chuchotement infini.

S. G.

♦

HENRI FANTIN-LATOUR
Portrait de l'artiste, vers 1860-1861
Huile sur toile marouflée sur carton,
30,8 × 20 cm

♦

HENRI FANTIN-LATOUR

Nature morte (tranche de melon), 1869

Huile sur toile, 27,3 × 21,3 cm

♦

CHARLES FILIGER

Notations chromatiques, après 1900
Aquarelle, gouache, crayon graphite et crayon de couleur sur papier, 24,4 × 29,8 cm

♦

JEAN-LOUIS FORAIN

Portrait de Camille Pissarro, vers 1879

Aquarelle sur papier, 21 × 14 cm

◊

◊

JEAN-LOUIS FORAIN

Belle aux paillettes d'or, 1879-1880

Gouache, aquarelle et rehauts d'or sur papier, 26,2 × 13,2 cm

La collection de Marlene et Spencer Hays fourmille en instantanés de la faune parisienne la plus libre. Forain ne pouvait qu'y occuper une place éminente. D'une feuille à l'autre, nous sautons des Folies-Bergère aux différents cafés où l'émule de Degas a croisé Manet, De Nittis et les autres collaborateurs de *La Vie moderne*, la revue illustrée de Charpentier. Lié très tôt à la bohème littéraire, Forain s'était frotté à deux de ses princes, Verlaine et Rimbaud. Poète lui-même à l'occasion, proche alors du lyrisme cocasse et scabreux de ses amis, le dessinateur avait reçu une formation des plus chaotiques. Après la guerre franco-prussienne et la Commune – son baptême du feu –, il se rapproche des acteurs de la Nouvelle Peinture et bientôt des impressionnistes. Certains salons, tel celui de Nina de Callias, certaines brasseries « alsaciennes » ont créé une proximité que confirment les choix esthétiques du jeune homme. En 1876, *Le Scapin* publie son premier dessin de presse ; un an plus tard, c'est au tour de *La République des lettres*, gagnée à la cause zolienne, d'accueillir son humour un peu vert. La nouvelle garde naturaliste va trouver en lui le trait et l'esprit qui lui conviennent. Huysmans, dès 1879, le prend sous son aile et l'associe à ses romans les plus hardis et à ses propres *Croquis parisiens*. Cette année-là, Forain expose pour la première fois aux côtés des impressionnistes dont il est le fier cadet. Le catalogue énumère chacun de ses vingt-sept envois aux titres et au contenu effrontément gaillards. L'inspiration et l'écriture de la présente feuille, à l'évidence, l'assimilent aux « petites merveilles » que salue Huysmans aussitôt. Le charme de la jeune femme au double *contrapposto* définit parfaitement la distinction canaille dont Forain n'était guère avare. Plus que Degas et Manet, ses modèles et émules, il joue des ressources d'un graphisme exacerbé, annonciateur des Nabis. Sans parler d'un japonisme d'époque, on retrouve ici les « ragoûts de couleurs studieusement épicées » que Huysmans a dits mieux qu'aucun autre. Il aurait aimé la grande tache de rouge sur laquelle se découpe cette jolie Parisienne aux formes accentuées et au regard superbe. Forain, à vingt-six ans, du haut surtout de sa fougue toute rimbaldienne, n'a déjà plus de rivaux à craindre sur le terrain des plaisirs interlopes et de rythmes endiablés.

S. G.

♦

JEAN-LOUIS FORAIN

Au Skating, dit aussi *Un bal masqué*, 1885-1890
Huile sur toile, 64,8 × 92,7 cm

♦

Au bal masqué, vers 1885
Aquarelle, gouache et encre sur papier,
34 × 24,5 cm

♦

À l'Opéra. La Sortie des danseuses, 1888
Encre et crayon de couleur sur papier,
33 × 25,5 cm

♦

JEAN-LOUIS FORAIN

Aux Folies-Bergère (La Loge), vers 1886

Huile sur bois, 24 × 19 cm

♦
JEAN-LOUIS FORAIN
Portrait de Madame Sylvia, s.d.
Pastel sur papier, 59 × 36,5 cm

♦

JEAN-LOUIS FORAIN

L'Atelier, s.d.

Pastel et fusain sur papier marouflé
sur carton, 61 × 49,5 cm

PAUL GAUGUIN
Scène bretonne, projet d'éventail, 1889
Aquarelle, encre et crayon
sur papier, 26,7 × 47 cm

♦
PAUL GAUGUIN
Dame en promenade, dit aussi
La Petite Parisienne, d'après un modèle de 1881
Bronze, H. 27,4 cm

♦
JEAN-LÉON GÉRÔME
La Joueuse de boules, vers 1902
Bronze doré, H. 27,9 cm

♦
JEAN-LÉON GÉRÔME
Autoportrait peignant
La Joueuse de boules, vers 1902
Huile sur toile, 59,3 × 43,9 cm

♦

WILLIAM JAMES GLACKENS
Femme laçant sa bottine, s.d.
Huile sur toile, 33 × 24,76 cm

♦

WILLIAM JAMES GLACKENS
Femme au chapeau fleuri, s.d.
Huile sur toile, 27 × 17,14 cm

♦

NORBERT GOENEUTTE
La Femme à l'éventail, s.d.
Huile sur panneau, 22 × 30 cm

♦
NORBERT GOENEUTTE
Une représentation de La Princesse de Trébizonde, 1877
Huile sur panneau, 23 × 14 cm

♦

ÉVA GONZALÈS
Citron et verre (recto), vers 1879-1880
Aquarelle, 22,5 × 18,5 cm

♦

ÉVA GONZALÈS
Portrait de Jeanne Gonzales,
vers 1865-1870
Huile sur bois, 19 × 13 cm

♦

ÉVA GONZALÈS

Le Petit Lever, dit aussi *La Toilette*, 1875-1876

Huile sur toile, 50,5 × 61,3 cm

CHILDE HASSAM

Promenade au soleil couchant à Paris, vers 1888-1889

Huile sur toile, 46,04 × 38,42 cm

En ce temps-là, pour les jeunes Américains formés à Boston, New York ou Chicago, Paris était « the place to be », tout ensemble un lieu de confirmation et un espace de consécration. L'imaginaire de la ville providentielle, que le cinéma hollywoodien a nourri jusqu'à aujourd'hui, s'est d'abord constitué sur la toile. La vieille Europe, en pleine mutation industrielle, attirait à elle les enfants du Nouveau Monde et parmi eux beaucoup d'artistes, des hommes et surtout des femmes. Ces héroïnes, comme sorties d'un roman de Henry James ou d'Edith Wharton, étaient trop heureuses de quitter les États-Unis pour une vie moins surveillée. On songe à Ellen Day Hale et à Cecilia Beaux, dont le merveilleux *Sita et Sarita* est l'un des chefs-d'œuvre méconnus du musée d'Orsay. Chat noir compris, le tableau fait songer au monde de Manet, piquant et espiègle. L'animal diabolique et sa propriétaire ont les mêmes yeux. Mary Cassatt fut une autre ambassadrice de la modernité française auprès de ses riches compatriotes, laissant un corpus de tableaux, de dessins et d'estampes dont le charme sourit à Degas. Elle exposa d'ailleurs aux côtés des impressionnistes en 1880, 1881 et 1886. Excellent chroniqueur du Paris de l'époque, Childe Hassam se situe plus modestement aux marges de la Nouvelle Peinture. Après avoir fait ses armes à Boston, il débarque en France une première fois durant l'été 1883. Manet vient de mourir mais le naturalisme triomphe au Salon. Lui-même devait s'y montrer et décrocher une médaille de bronze lors de l'Exposition universelle de 1889, celle du centenaire de la grande Révolution. C'est que Hassam avait retrouvé la capitale, avec sa femme, dès l'automne 1886. Un séjour de trois ans débute, riche en vues de la rue parisienne, tel étalage de fruits, tel aperçu des Champs-Élysées, telle promenade sur les quais enneigés de la Seine. Partout règnent les perspectives obliques et leur force d'entraînement irrésistible. Comme son ami Frank Boggs, il excellait dans les luisances nocturnes d'un Paris pluvieux mais séduisant. Leurs tableaux mettent en scène des citadins de la bonne société et l'espèce de va-et-vient qui emporte le tourbillon de la ville. Hassam a tôt maîtrisé le vocabulaire de ces modernes et alertes observateurs, des jolies Parisiennes promenant leurs chiens et du halo des éclairages artificiels. Le tableau de la collection Hays résume à la perfection les composantes, devenues canoniques, du Paris de l'Oncle Sam.

S. G.

Childe Hassam

PAUL-CÉSAR HELLEU

Jeune fille en blanc (portrait présumé de la princesse de Ligne), 1885

Pastel, 129 × 98 cm

Bien avant que Marcel Proust ne célèbre ses élégantes et leurs toilettes qui « sur le bleu de la mer font un blanc aussi éclatant qu'une voile blanche », Paul Helleu avait abusé de la couleur virginale en émule avoué de Whistler, de Manet et des impressionnistes. Comme eux, il associa avec prédilection le pastel et le beau sexe, la fleur de l'âge et la fleur de ses craies. Son champ d'action allait vite se resserrer à ce que l'époque appelle par anglophilie la *High life*. Dès le début des années 1880, fort des leçons de Gérôme, Helleu s'est tourné vers les amoureux de la Grande-Bretagne. Outre Degas et Manet, Jacques-Émile Blanche, Boldini et Tissot furent ses vrais « professeurs de beauté », pour citer la formule que Proust appliquait à Robert de Montesquiou. C'est ce dernier, nul hasard, qui va précipiter en 1887 l'adoubement d'Helleu par le faubourg Saint-Germain. Pour que sa célébrité passe les frontières, il suffira que la comtesse Greffulhe, la duchesse de Malborough et la princesse de Polignac le prennent sous leurs ailes et leurs blasons. Ce snobisme légitime, Proust devait le recueillir et lui donner la dimension d'un mythe littéraire, Elstir. Si l'identification du modèle de ce portrait est encore douteuse, sa dimension et son charme désignent une jeune femme de la meilleure société parisienne. En 1885, date de l'œuvre, Helleu arrête une partie de la critique sur les deux pastels qu'il expose au Salon, le portrait de sa future épouse Alice Guérin et une vue de la gare Saint-Lazare. Octave Mirbeau notamment souligne leur style et leur fraîcheur d'impressions, ce qui est une autre manière de dire que ses deux envois sont perçus comme plus modernes que mondains. Du japonisme, dont témoigne l'arbuste fleuri avec une grâce peu banale, Helleu donne pourtant une version éminemment chic. Cette immense corolle, souvenir amusé des représentations classiques de la déesse flore, devient l'accessoire indispensable de ce beau visage en lame, au regard de chatte, dont on aimerait connaître la propriétaire. Le fond gris et le rocking-chair sombre parlent le même langage, celui des salons mondains où Helleu allait prendre ses habitudes et croiser le grand Proust. Il lui reviendra l'insigne honneur de croquer l'écrivain de *La Recherche*, en 1922, sur son lit de mort. C'est peut-être son seul chef-d'œuvre où n'entre pas le blanc ensorceleur des beaux quartiers.

S. G.

♦

GEORGE HITCHCOCK
Fille et chèvre, s.d.
Huile sur toile, 99 × 81 cm

♦

JOHN LAVERY
La Véranda, 1912
Huile sur toile, 63,8 × 76,2 cm

♦

GEORGES LEMMEN

Femme assise dans un fauteuil lisant, 1908

Aquarelle et crayon sur papier, 25,7 × 28,6 cm

♦

GEORGES LEMMEN

Jeune femme endormie (Mme Lemmen), 1901

Pastel, 50,8 × 47,6 cm

♦

Madame Lemmen, 1907

Aquarelle et crayon sur papier

27,6 × 26,4 cm

♦

MAXIMILIEN LUCE
Portrait du docteur Marieux, s.d.
Huile sur papier collé sur carton,
38,1 × 36,2 cm

♦

ARISTIDE MAILLOL

Les Lavandières, 1896

Huile sur toile, 65,5 × 81,5 cm

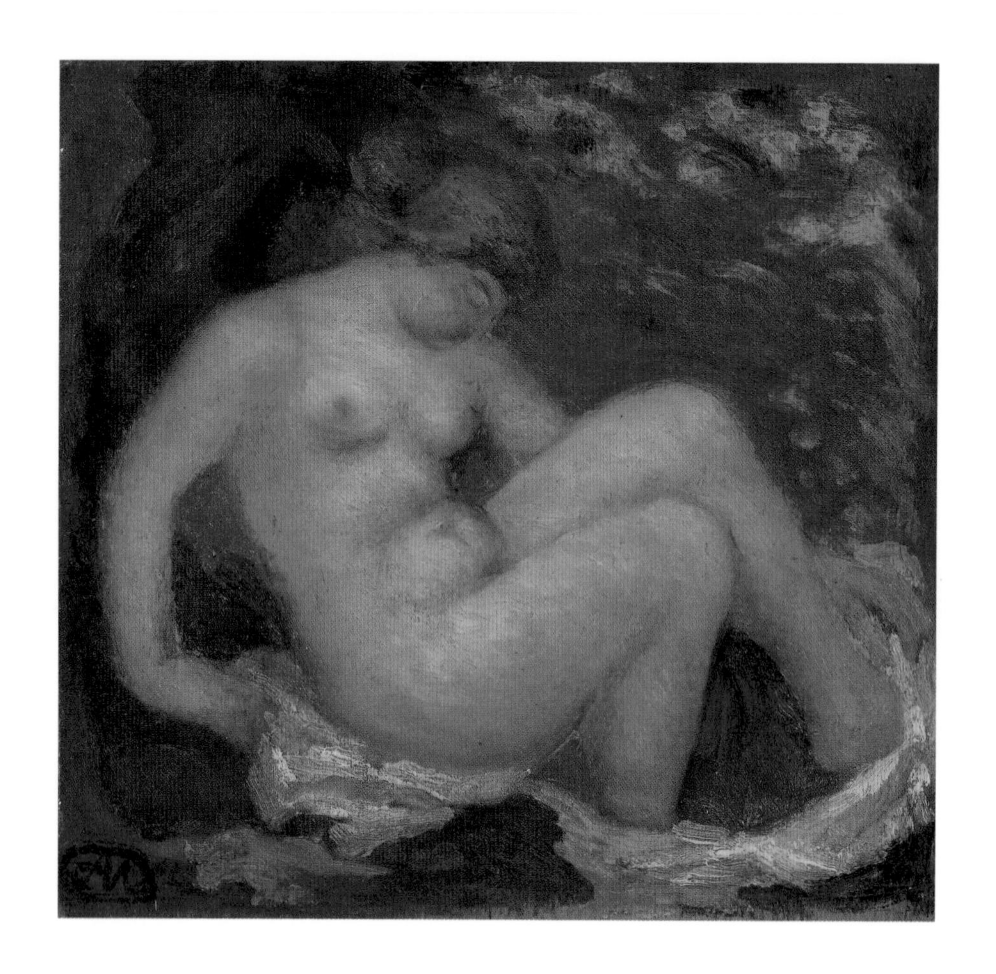

♦

ARISTIDE MAILLOL
Baigneuse dans un paysage à la draperie rouge,
dit aussi *Jeune fille à la rivière*, 1930
Huile sur bois, 20 × 21,5 cm

♦
ARISTIDE MAILLOL
Torse de femme, vers 1930
Terre cuite, H. 106 cm

♦
ARISTIDE MAILLOL
Torse de femme, étude pour
Ève à la pomme, s.d.
Bronze, H. 43 cm

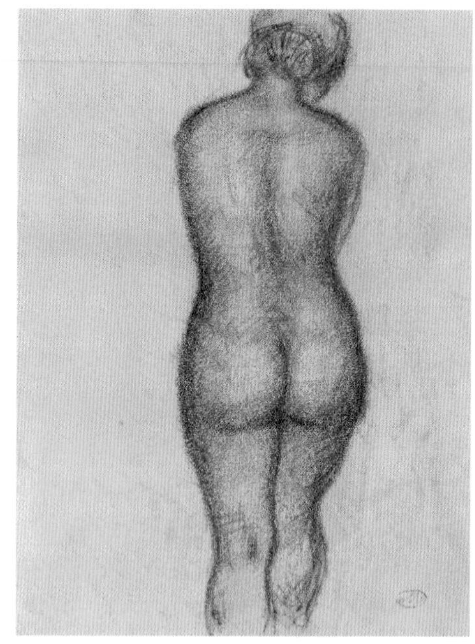

♦

ARISTIDE MAILLOL

Dos de Marie à la draperie, 1930
Sanguine et craie blanche
sur papier gris, 38 × 30 cm

♦

Nu debout de dos, bras invisibles, 1930
Sanguine sur papier, 38,2 × 29,9 cm

♦

Nu allongé, dit aussi *La Méditation*, s.d.
Sanguine rehaussée de craie blanche sur papier
brun marouflée sur carton, 24,1 × 38,6 cm

♦

Nu à genou, vers 1930
Sanguine sur papier marouflé sur carton,
33 × 25 cm

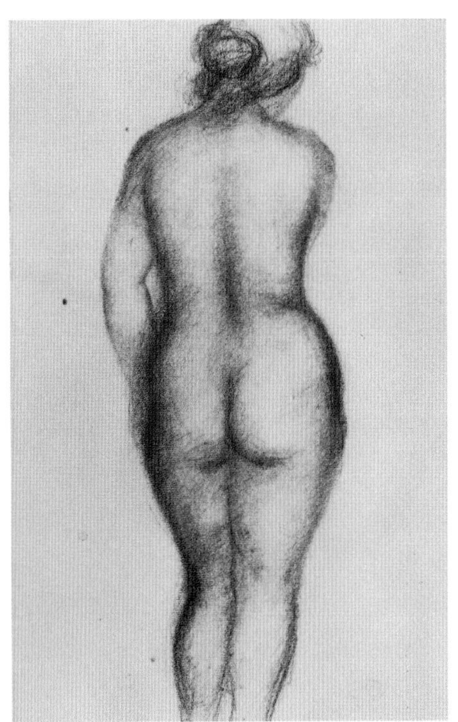

♦
Nu debout de face, s.d.
Sanguine sur papier brun, 38,7 × 27,3 cm

♦
Nu debout de dos, bras gauche visible, s.d.
Sanguine sur papier vergé, 31,1 × 20,6 cm

♦
Maternité (Femme assise avec enfant sur les genoux), vers 1910
Sanguine sur papier, 22,9 × 38,1 cm

◊

ARISTIDE MAILLOL

L'Été, 1911

Bronze, fonte Alexis Rudier, H. 163 cm

Des premières naïades en haut relief, lovées sur leurs rondeurs déjà affirmées, jusqu'aux figures en pied, triomphalement corpulentes, la statuaire de Maillol s'est développée avec la volonté constante de rajeunir le vocabulaire et la fonction de la statuaire antique. Parmi les peintres nabis, où il se fait une place discrète avec des tableaux aussi gracieux que ses sculptures seront puissantes, l'enfant de Banyuls-sur-Mer appartient à la frange la plus classique du groupe, celle que mène Maurice Denis. Le rusé Vollard a vite compris le potentiel commercial des premières statuettes de l'artiste, limpides variations sur le nu féminin et la mythologie leste. *Léda*, agitée par l'irruption encore invisible de Jupiter, marque le début d'une glorieuse décennie qui culmine avec la commande des *Saisons* par Morozov. Il est révélateur que le succès de *Méditerranée*, au Salon d'Automne de 1905, coïncide avec la menace que constitue alors, aux yeux de certains, l'émergence de la peinture fauve et, d'une certaine manière, lui réponde. Autant que Maurice Denis, André Gide, critique d'art circonstanciel et proche du premier, parle de la femme accroupie et pensive en des termes qui résonnent des débats du moment : « Elle est belle, elle ne signifie rien ; c'est une déesse silencieuse. » On entend derrière la divinité massive le vers de Baudelaire : *Méditerranée* est, à l'évidence, belle comme un rêve de pierre, matière dans laquelle elle se présente au public, après avoir été taillée par Maillol lui-même. La commande de *L'Action enchaînée*, géante aux mains liées dans le dos et forte d'une énergie débordante, survient la même année. Œuvre révolutionnaire, et perçue comme telle par Matisse, elle célèbre un « rouge » qui passa l'essentiel de sa vie en prison, le socialiste Auguste Blanqui. D'autres mécènes devaient ramener Maillol dans l'orbe d'une thématique et d'un érotisme de meilleur aloi. C'est le cas du comte Harry Kessler et d'Ivan Abramovitch Morozov, un Allemand et un Russe aussi friands de la peinture de Denis que du sculpteur. Contrairement à *Pomone*, qui déclencha l'enthousiasme du collectionneur moscovite, *L'Été* échappe à une stricte frontalité et affiche un *contrapposto* impudique. Cette femme aux cheveux prisonniers, mais aux flancs généreux, symbolise sans accessoires l'idée d'une fertilité inépuisable. En compagnie des autres *Saisons*, elle faisait un peu pâlir les peintures de Denis qu'elles encadraient, silencieuses et majestueuses.

S. G.

◊

◊

◊

ARISTIDE MAILLOL

Profil de jeune fille, 1893

Huile sur toile, 33 × 40,7 cm

Aristide Maillol fut peintre avant d'être sculpteur. C'est pour suivre les cours de l'académie Julian, puis de l'École des beaux-arts, qu'il décide de quitter sa province natale et de « monter » à Paris. La découverte de l'art de Puvis de Chavannes puis de Gauguin sera déterminante pour l'élaboration de son style : « La peinture de Gauguin fut pour moi une révélation. L'École des beaux-arts, au lieu de m'éclairer, m'avait voilé les yeux. » En 1889, Maillol connaît son premier succès au Salon des artistes français avec le *Portrait de Mademoiselle Jeanne Faraill* qui lui vaudra commande de huit nouveaux portraits de la part d'Albert Faraill, neveu d'un sculpteur roussillonnais qui l'aida à ses débuts. C'est à cette occasion que naît un ensemble d'œuvres très cohérent – jeunes filles et enfants de profil – sur un vaste fond clair souvent ornementé. Le *Profil de jeune fille* frappe par son raffinement extrême, par l'élégance de la pose et la ligne pure du profil.

Alors que le fond en aplat, la stylisation du feuillage et la superposition de la figure sur l'arrière-plan reprennent les leçons de Gauguin, Maillol choisit pour la pose un profil strict évoquant les portraits italiens du Quattrocento. Comme le note Michel Hoog, le célèbre portrait de la *Princesse d'Este* par Pisanello (vers 1435-1440) était entré au Louvre en 1893. Cela n'avait sans doute pas échappé à Maillol : le parallèle dans la composition et le profil très dessiné est saisissant.

Dans ce portrait hiératique d'où se dégage une atmosphère de grande sérénité s'affirme d'ores et déjà le classicisme renouvelé qui caractérisera l'œuvre sculpté de Maillol et que Maurice Denis définira ainsi en 1909 : « Admirable nature ! il joint à la vertu d'un classique l'innocence d'un Primitif. »

C. B.

♦

ÉDOUARD MANET
La Couseuse, vers 1874
Aquarelle sur papier quadrillé marouflé
sur carton, 19 × 16,5 cm

♦

MARINO MARINI

Homme sans tête sur un cheval, s.d.
Crayon et gouache sur papier, 63,5 × 55,88 cm

♦

ALBERT MARQUET

Quai de Boulogne, 1930
Aquarelle et crayon sur papier marouflé
sur carton, 11,43 × 16,65 cm

ALBERT MARQUET

Les Bas rouges, 1912

Huile sur toile, 81,3 × 65 cm

Dans les livres d'histoire de l'art, on rencontre le nom d'Albert Marquet à côté de ceux des fauves, dont il partagea les recherches. Il est alors présenté comme « le plus modéré » de la bande, et son art toujours situé dans le registre de la pondération. Comme si, après l'explosion fauve, le classicisme de Marquet l'avait cantonné à une place plus modeste que ses anciens compagnons de route, et relégué dans l'impressionnisme tardif dont il serait l'un des derniers hérauts. Et si l'on chante ses louanges, c'est, comme Jean Cassou, pour souligner la « remarquable continuité » de son art.

Que dire alors de ces filles de joie à demi vêtues ou au déshabillé suggestif, dont la présence agressive, presque criarde, vient hanter l'œuvre du peintre entre 1909 et 1913 ? L'âpreté du coloris et la plasticité de ces corps offerts sont loin de ces paysages, paradoxalement assagis par la leçon cézannienne, dont Marquet a la recette depuis quelques années. Didier Ottinger y voit la « partie visible d'une ferveur cachée sous le masque de la respectabilité ». Les sources de son inspiration nous sont en partie connues : Marquet et son ami Charles Camoin explorent ensemble, dès 1905, l'univers des maisons closes, et, entourés de jeunes modèles, s'attachent parfois à l'une d'elles. Camoin puise dans cet univers l'inspiration de sa *Saltimbanque au repos* (Paris, musée d'Art moderne, 1905), Olympia des carrefours à laquelle Marquet semble répondre, quelques années plus tard, avec cette jeune femme aux bas rouges, dont la pose lascive et l'habillé-déshabillé, le rouge vermillon des lèvres rappelant celui des bas, sont autant d'invitations à la luxure. Le modèle en serait peut-être Ernestine Bazin, dite Yvonne, qui posait alors pour le peintre dont elle était devenue l'amie.

C. B.

♦

HENRI MATISSE
Tête au collier, d'après un modèle de 1907
Bronze édité en 1951, H. 14,9 cm

♦

HENRI MATISSE

La Blouse blanche brodée, 1936

Huile sur bois, 16 × 22,3 cm

◊

◊

AMEDEO MODIGLIANI

Portrait de Chaïm Soutine, 1917

Huile sur panneau, 79 × 54 cm

Nous connaissons de Modigliani quatre portraits de son ami peintre Chaïm Soutine. Ils ont tous été réalisés en quelques années, entre 1915 et 1917, et témoignent de la forte amitié, parfois houleuse, qui les lie dès leur rencontre en 1915, plus encore que de recherches artistiques communes. Pourtant, l'on retrouve dans les trois premières toiles un empâtement assez inhabituel chez Modigliani et un expressionnisme plus poussé que dans ses autres portraits, qui semblent refléter un peu de l'esprit et des recherches de son ami.

Ce dernier portrait, daté de 1917, a été peint par Modigliani à même le montant d'une porte, dans le salon de l'appartement de Léopold Zborowski, au numéro 3 de la rue Joseph-Bara, à Paris. Si seule la partie supérieure du panneau de la porte a été conservée, il s'agissait au départ d'un portrait de l'artiste en pied, assis sur un siège à peine suggéré. L'œuvre est le témoin des relations des deux peintres avec leur marchand commun : c'est Modigliani qui introduisit Soutine auprès de Zborowski et convainquit ce dernier de lui proposer un contrat.

Le fond à peine brossé, les touches de peinture clairsemées révèlent une exécution rapide. Pourtant, en quelques traits larges de pinceau, noirs et ocre rouge, Modigliani donne une réelle présence à la figure de Soutine, soulignant les épaules affaissées du modèle ou son regard presque doux, tourné vers l'intérieur. Et l'on comprend la remarque de Jean Cocteau, lorsqu'il dit de ses portraits : « Chez Modigliani, la ressemblance est si forte qu'il arrive, comme pour Lautrec, que cette ressemblance s'exprime en soi, et frappe ceux qui n'ont point connu le modèle. »

C. B.

AMEDEO MODIGLIANI
Portrait de femme au chapeau, 1909
Huile sur carton, 35 × 27 cm

♦

BERTHE MORISOT

Portrait de Madeleine Thomas,
dit aussi *Jeune fille au perroquet*, vers 1873
Pastel sur papier, 59,7 × 48,6 cm

♦
BERTHE MORISOT
Tête d'Anglaise, 1884-1885
Pastel sur papier, 50,1 × 42 cm

◊

FERNAND PELEZ ET ATELIER FERNAND PELEZ

Grimaces et Misère : les saltimbanques, 1887-1888

Huile sur toile, 114,6 × 292,7 cm

Ce vaste tableau, récemment acquis par Marlene et Spencer Hays, est la version réduite d'une composition, deux fois plus grande très exactement, qui fut le point de mire de tous les regards au Salon de 1888. Henry Houssaye le note alors, avant d'ajouter que la curiosité du public tient autant au « sujet étrange » et aux « proportions sans mesure » qu'à sa force plastique et à la « tristesse profonde qui s'en dégage ». À dire vrai, le sujet de cette parade ironique et navrante, à cette date, était moins « étrange » qu'étrangement rendu. Le naturalisme du peintre s'appropriait sans complexe un thème qui appartenait au romantisme. Depuis les années 1840-1850, que l'on pense à Daumier, Penguilly-L'Haridon ou Gustave Doré, la figure du saltimbanque aliéné se multiplie sous deux occurrences, le triomphe dérisoire de l'amuseur public et sa déchéance lamentable. Lecteur des poètes, comme les critiques le soulignent en 1888, Pelez n'ignorait pas non plus ceux que Théophile Gautier et Théodore de Banville avaient élus, sous le chapiteau, mimes, clowns et autres acrobates. L'univers du cirque, en raison de son énergie et de son audience populaire, offrait une mythologie de substitution à la fable classique et une image de l'artiste moderne, condamné à l'existence précaire des forains. Le potentiel allégorique de cet univers alliait un certain merveilleux intemporel à une satire sociale très contemporaine. Passé et présent, grotesque et misérabilisme marchaient d'un même pas. Le vérisme de Pelez rendait donc plus crédibles les symboles destinés à hisser la toile jusqu'aux tableaux d'histoire. Si la parodie justifie ici la présence des perroquets et des singes, le versant sentimental de l'œuvre se lit derrière le groupe discordant des individus malingres, où se résument les trois âges de la vie. À cet effort de synthèse s'ajoute l'expression

philosophique du nain sans bras, qui fait de ce modeste théâtre populaire une cour des Miracles. Avant de rejoindre la cause réaliste, Pelez avait appris son métier auprès de son père et des maîtres de l'École des beaux-arts. Jusqu'en 1880, on le vit hésiter entre sujets virils et sujets sucrés. Mais l'avènement de la République radicale le convertit soudain au naturalisme popularisé par Bastien-Lepage, un ancien de l'atelier Cabanel comme lui. Les pauvres seraient désormais son vivier, et le malheur son inspiration favorite.

S. G.

◊

ORCHESTRE FRANCAIS

♦

CAMILLE PISSARRO
Ludovic-Rodolphe Pissarro lisant, 1893
Huile sur toile, 46 × 38 cm

♦

CAMILLE PISSARRO

Rencontre de paysans, s.d.

Gouache sur papier, 9,8 × 12,7 cm

♦

JAMES PRADIER

Négresse aux calebasses, s.d.

Bronze, H. 45,7 cm

♦

MAURICE PRENDERGAST
Le Bassin aux voiliers. Jardin des Tuileries,
vers 1907
Huile sur carton, 26,7 × 34,7 cm

♦

JEAN-FRANÇOIS RAFFAËLLI
Paysan dans un champ, s.d.
Huile sur panneau, 25,1 × 11,1 cm

♦

PAUL-ÉLIE RANSON

Escalier d'auberge au Pays basque, vers 1893

Fusain sur papier, 41,5 × 25 cm

◊

PAUL-ÉLIE RANSON

Paysage japonisant, dit aussi *Le Mur fleuri*, vers 1899

Huile sur toile, 92 × 73 cm

Paul-Élie Ranson est souvent perçu comme un symboliste, dont les œuvres, difficilement déchiffrables, manifestent l'attrait pour l'ésotérisme et la fascination pour les civilisations orientales. Pourtant, s'il est surnommé par ses amis « le Nabi plus japonard que le Nabi japonard » (c'est-à-dire Pierre Bonnard), c'est avant tout parce qu'il a retenu de ses études à l'école des arts décoratifs de Limoges un sens du décoratif affirmé.
Il développe ainsi une œuvre dont les compositions rappellent le langage de l'Art Nouveau, tant par leur style synthétique – les motifs sont réduits à leurs formes essentielles, courbes et arabesques cernent des aplats colorés – que par leur organisation décorative par juxtaposition de plans.
Ranson démontre ainsi la porosité de la frontière entre peinture et arts décoratifs car, selon les mots de Henry Van de Velde, « toute arabesque est signifiante » : ainsi de ce *Paysage japonisant*, probablement exécuté lors d'un séjour de l'artiste à Sète, à la fin de l'année 1899. Accueilli par la famille Déjean, Ranson réalise là, outre quelques paysages, quatre très grands panneaux destinés à décorer les murs d'une entrée de leur villa. Ici, l'aspect japonisant de la composition est renforcé par le choix du motif principal, une branche de pommier en fleur. Ce motif ornemental, très présent au premier plan de la toile, en vient à constituer un écran à travers lequel le paysage se devine. Mais plus encore, ces branches confèrent à la nature une dimension animiste. Maurice Denis ne s'y trompe pas lorsqu'en 1909 il parle de l'œuvre du peintre dans sa revue *L'Occident* : « Il aime les arbres parce qu'ils ont des racines comme des tentacules, des branches comme des bras convulsés, des apparences enfin d'êtres vivants. »

C. B.

◊

ODILON REDON

La Fleur rouge, dit aussi *Le Buisson rouge*, vers 1905

Huile sur toile, 55 × 48 cm

Avant d'illustrer *Les Fleurs du mal*, Redon a fait sienne l'esthétique du poète. Dès 1845, à l'appui de Delacroix principalement, Baudelaire clame la vocation poétique de l'image et la nécessité pour elle d'agir sur la subjectivité du spectateur sur le mode du choc ou de la contagion. Dans son *Salon de 1859*, il en appelle au « gouvernement de l'imagination » et assène, en formules frappantes, le credo des futurs symbolistes : « Un bon tableau, fidèle et égal au rêve qui l'a enfanté, doit être produit comme un monde. » Il faut exprimer « l'intime du cerveau, l'aspect étonnant des choses », montrer « l'infini dans le fini » ou, à la suite de Préault, maintenir ses « rêves tumultueux » dans cette incomplétude fertile au créateur et féconde pour le spectateur. Si on leur ajoute Chassériau et toute une imagerie fantastique ou scientifique, Baudelaire, Delacroix et Préault fixent le cadre mental où l'œuvre de Redon va se déployer. Jusqu'en 1890 et le retour massif de la couleur, à la faveur de sa pratique éclatante du pastel, fusains et lithographies règnent sur un « monde cérébral » plutôt sombre. La chair et le désir n'y ont pas cours. Redon les en a chassés par crainte d'affronter des monstres plus personnels. L'âge aidant, ses lectures « bouddhiques » également, le peintre s'ouvre après 1900, aux espoirs d'une vie réconciliée, comme il l'explique alors à Gabriel Frizeau, collectionneur sujet à de violentes poussées de mélancolie : « Contentez-vous donc de la contemplation infinie de tout ce qui est. Le néant n'est point dans les fleurs, ni dans les bêtes. Moi j'attends une immense miséricorde pour nous, si petits dans l'univers. Devons-nous lui demander la raison de notre être. » L'apaisement propre aux dernières œuvres croise à la fois l'art totémique de Gauguin et les idées classicisantes de Maurice Denis, qui sera l'un des propriétaires prestigieux du *Buisson rouge*. Si ce titre attesté en 1903 renvoie aux références bibliques les plus sanglantes, dans son allusion possible au meurtre d'Abel, il semble avoir ensuite évolué, signe d'une polysémie chère à l'artiste et de l'esprit du tableau. *Méditation*, tel le désigne Arsène Alexandre en 1913. S'avançant vers l'arbre fleuri, la figure androgyne est porteuse d'un double éveil, poétique et philosophique. Par ses interminables branches dénudées, l'arbre symbolise un lien rétabli entre la Terre et le Ciel, une force pérenne, favorable aux hommes.

S. G.

♦

ODILON REDON
Vase de fleurs et profil, vers 1905-1910
Huile sur toile, 65,5 × 81 cm

♦

PIERRE AUGUSTE RENOIR
Nature morte à la carafe, 1892
Huile sur toile, 40,5 × 31 cm

♦

JÓZSEF RIPPL-RÓNAI

Jardin à Pont-Aven, s.d.

Huile sur toile, 38 × 46 cm

♦

Portrait de femme en buste de profil, 1891

Pastel, 41 × 31 cm

♦
AUGUSTE RODIN
Petite Ève, 1916-1917
Bronze, fonte d'Alexis Rudier, H. 74,9 cm

♦
AUGUSTE RODIN
Étude de *Femme assise (Cybèle)*,
d'après un modèle de 1889
Bronze, H. 50,2 cm

♦

WILLIAM ROTHENSTEIN

Portrait de groupe : le critique d'art D. S. MacColl, Charles Furse, Max Beerbohm et les artistes William Steer et Walter Sickert, 1882-1884

Huile sur toile, 110,6 × 86,3 cm

KER-XAVIER ROUSSEL

Paysannes endimanchées, 1890

Huile sur toile, 49,5 × 38 cm

Ker-Xavier Roussel a réalisé cette œuvre à l'orée de sa courte période nabie (1890-1896). L'extrême simplification du motif, l'absence totale d'effet de perspective et l'atmosphère d'ensemble la rapprochent des compositions contemporaines de ses amis Vuillard ou Bonnard ; le traitement de surface, en revanche, s'en distingue, et la couleur y est appliquée en légères touches juxtaposées et non en aplat. Tout est ici suggéré. Roussel réduit son motif à l'essentiel : dans un paysage de campagne évoqué de façon synthétique par un arrière-plan réduit à trois bandes de couleur (vert, orangé et bleu), ces deux paysannes endimanchées sur le chemin de la messe dominicale – l'une d'elles tient un missel entre ses mains gantées – semblent engagées dans une conversation sans paroles. Le traitement sommaire des visages, dont on distingue à peine les yeux et la bouche, renforce l'atmosphère de paix silencieuse ; il évoque également l'absence de communication. Ainsi, chacune des deux figures féminines, solides, monolithiques, semble-t-elle isolée dans son propre monde. Cette impression s'explique en partie par l'histoire du tableau : constitué au départ de deux panneaux formant diptyque, il a été fondu en une composition unique à une date inconnue.

Un élément pourtant vient relier les deux femmes. Une ombre portée, unique et insolite, trace un sillon entre les deux figures, rendant la scène plus irréelle encore : allusion mystique au Verbe divin ? Nombre des toiles réalisées par Roussel en ces débuts des années 1890 sont empreintes de cette même gravité de « conversations sacrées » – de ses « Conversations » aux panneaux décoratifs des *Saisons de la vie* (Paris, musée d'Orsay) qu'il réalise en 1892.

C. B.

♦

CLAUDE ÉMILE SCHUFFENECKER
Nature morte au pichet, vers 1888
Huile sur toile, 33 × 23,1 cm

♦

ARMAND SEGUIN
Paysage breton, 1901
Aquarelle, crayon et encre sur papier,
17,4 × 37,1 cm

♦

PAUL SÉRUSIER
L'Assiette de pommes, vers 1891
Huile sur toile, 36,5 × 53,5 cm

♦

THÉOPHILE ALEXANDRE STEINLEN
Le 18 mars au Père-Lachaise, s.d.
Craie noire, craie bleue et lavis sur papier marouflé sur carton, 36,8 × 51,2 cm

♦

THÉOPHILE ALEXANDRE STEINLEN
Les Femmes d'amis de Georges Courteline,
projet de couverture, s.d.
Encre et aquarelle sur papier, 29,5 × 36,2 cm

♦

THÉOPHILE ALEXANDRE STEINLEN

Trois midinettes, 1902
Crayon sur papier, 15,4 × 22,8 cm

♦

Scène de rue, dit aussi *Modistes dans la rue*, s.d.
Encre de Chine et crayon sur papier,
24,4 × 31,1 cm

♦

ALFRED STEVENS

Femme à la fenêtre nourrissant des oiseaux, vers 1859

Huile sur toile marouflée sur panneau, 45 × 38 cm

◊

◊

JAMES TISSOT

La Sœur aînée, vers 1881

Huile sur toile, 40,6 × 17,8 cm

Lié à Degas et Manet, partageant leur goût du présent et d'une certaine complexité narrative, James Tissot appartient aussi à cette famille d'artistes capables de croiser les traditions et les sujets… Le Nantais Tissot « monte » à Paris en 1855 et devient l'élève de Lamothe, héritier de la tradition ingresque, à l'École des beaux-arts. Lors de l'Exposition universelle, la section anglaise le frappe par la modernité des sujets et leur traitement insolite. Son prénom anglicisé, James, se signale vite au Salon en alternant portraits piquants et scènes de genre archaïsantes. Au milieu des années 1860, Tissot évolue vers l'analyse douce-amère des mœurs contemporaines qu'il fixera désormais sans jamais juger de haut ni se voiler la face. Au sortir de la guerre franco-prussienne, il est donc prêt à mettre un pied sur le marché anglais et à le conquérir. Entre 1872 et 1881, ses envois à l'exposition de la Royal Academy font sensation. Sa liaison heureuse, puis douloureuse avec Kathleen Newton (1876-1882) va marquer un tournant aux effets durables. Née en 1854, Kathleen avait été envoyée en Inde à l'âge de seize ans, après la mort de sa mère, en vue d'épouser un médecin anglais. Mariage voué à l'échec, la jeune fille s'étant amourachée d'un jeune officier, qui lui fit un enfant et disparut. Au début des années 1870, Kathleen ramène à Londres la petite fille née de ses amours clandestines. Un garçon verra le jour en 1876, dont Tissot pourrait être le père. La tuberculose devait emporter la belle Irlandaise. Avant de hanter sa mémoire, Kathleen lui inspira un cycle de tableaux empreints de séduction oblique ou de mélancolie enjôleuse. Sa muse pouvait jouer ainsi les séductrices comme les fausses ingénues. *La Sœur aînée* renvoie à cette féminité en éveil, latente, avec une franchise souriante. Pour ce tableau à la verticalité japonaise dont plusieurs versions existent, toutes différentes, Tissot est parti d'une photographie. Kathleen a donc pris la pose en regardant l'objectif, une main sur la hanche, l'autre autour de sa nièce. Une scène de lecture aussi traditionnelle rassurerait son public si Tissot n'instillait le poison à petites doses. L'espèce de saturation florale, prolongée par la robe, jette une note déconcertante. Plus audacieux s'avère l'aplomb avec lequel Kathleen toise le spectateur et ouvre ses grands yeux sur ce monde qu'elle quittera quelques mois plus tard.

S. G.

♦

JAMES TISSOT

Kew Gardens, s.d.

Huile sur panneau, 43,2 × 19,1 cm

♦

HENRI DE TOULOUSE-LAUTREC

Projet de couverture pour *L'Image*,
revue mensuelle littéraire et artistique, n° 1,
11 octobre 1897
Gouache, encre noire et crayon sur carton,
47,7 × 32,87 cm

♦

LOUIS VALTAT

Femme assise en noir, vers 1925

Huile sur carton, 38,1 × 22,2 cm

♦
KEES VAN DONGEN
La Conversation, s.d.
Crayon et craie grasse noire sur papier, 18,2 × 11 cm

♦
JAN VERKADE
Femme dans un bois, vers 1894
Crayon, encre et gouache sur papier, 21,9 × 13,5 cm

♦

ANTOINE VOLLON

Nature morte avec tranche de potiron et casserole en cuivre, vers 1875-1885

Huile sur toile, 82 × 103 cm

♦

ÉDOUARD VUILLARD

L'Encrier, vers 1888

Huile sur toile, 13 × 19,5 cm

♦

Pipe d'écume et paquet de tabac, vers 1888

Huile sur toile, 13 × 21 cm

♦

ÉDOUARD VUILLARD
L'Homme et les deux chevaux, vers 1890
Huile sur carton, 27 × 34,9 cm

♦

ÉDOUARD VUILLARD

Tête de chanteuse, vers 1890

Encre et crayon sur papier, 16,5 × 10,8 cm

♦

ÉDOUARD VUILLARD

Visage de femme. Yvette Guilbert, vers 1890-1891

Pastel sur papier, 36 × 25,2 cm

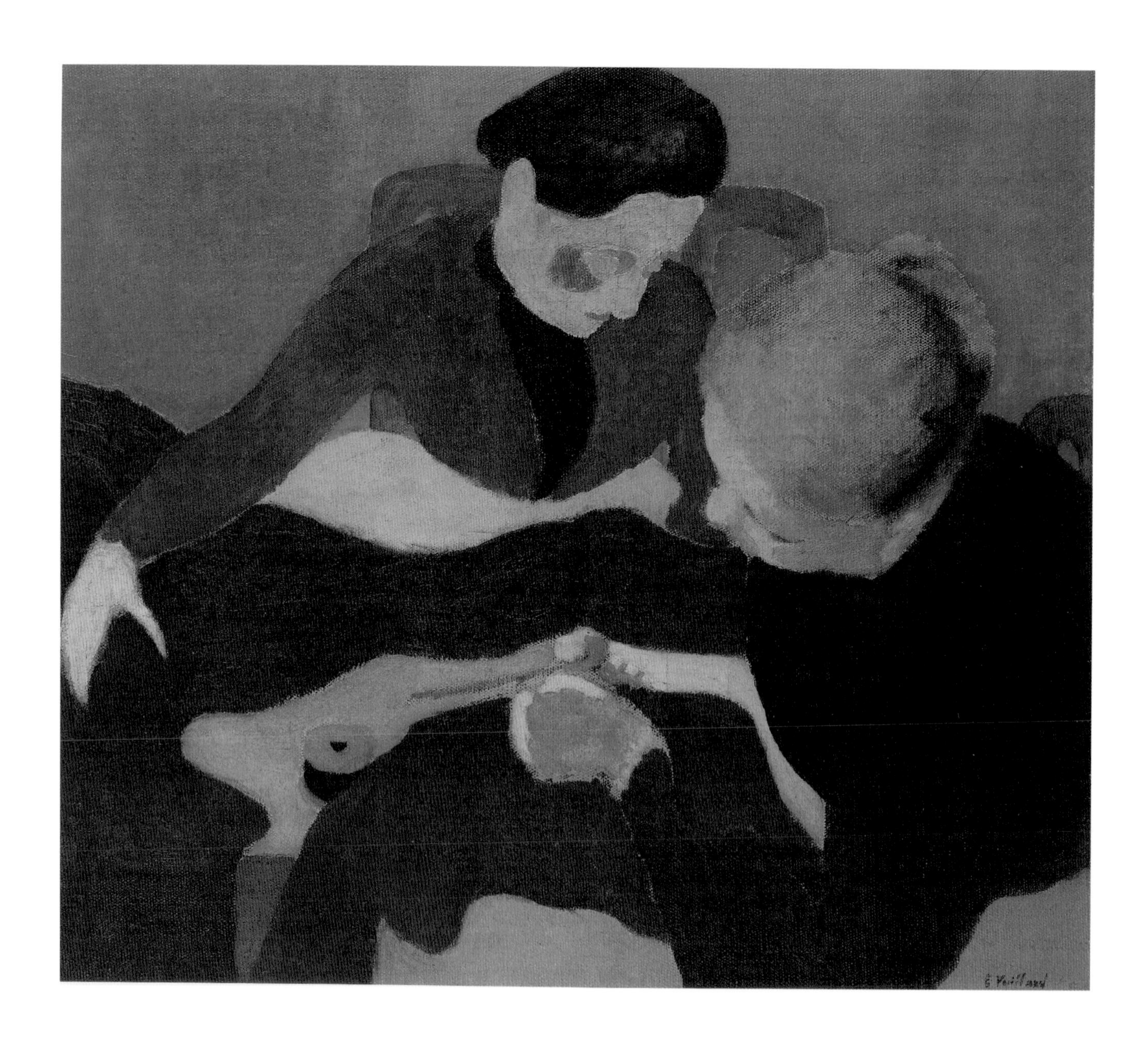

◊

ÉDOUARD VUILLARD

Les Couturières, 1890

Huile sur toile, 47,5 × 57,5 cm

La collection de Marlene et Spencer Hays a fait de Vuillard son centre de gravité, elle en illustre chacune des étapes stylistiques et abrite même l'un de ses plus grands chefs-d'œuvre. Outre la présence de natures mortes, encore subtilement descriptives, qui convoquent les Chardin du Louvre, cet ensemble fait la part belle au « temps des audaces nabies » (Guy Cogeval). On les mesurerait mieux aujourd'hui si l'on était en position de reconstituer plus précisément les années académiques du jeune homme, qui aura traversé en trois ans (1887-1889) les ateliers de Bouguereau, Robert-Fleury et Gérôme. C'est l'exemple de Gauguin qui va l'en détourner définitivement. Par l'entremise de Maurice Denis, il fait la connaissance de Sérusier, de retour de Pont-Aven, et du jeune Bonnard. Il n'en reste pas moins que la formation de Vuillard l'a préparé à déborder la tradition classique sans la révoquer. *Les Couturières* datent précisément de l'année où Denis publie sa « Définition du néotraditionnisme ». Nul doute que Vuillard, au début de l'aventure collective des Nabis, a admis cette discipline comme sienne. Ce fils de militaire, formé par les pères maristes aux astreintes d'une éthique exigeante, entend vite construire une « œuvre » et s'appliquera, dans ses réalisations les plus marquantes, à concilier le morcellement des perceptions et l'unité expressive du tableau, la sensation vive et sa traduction réfléchie, poétique, pour utiliser un mot adapté à un lecteur assidu de Mallarmé. En réaffirmant la vocation décorative de la peinture, qu'elle soit murale ou non, Denis, Bonnard et Vuillard militent pour un décloisonnement radical des pinceaux. Chacun d'entre eux devait multiplier par la suite les incursions dans les domaines du théâtre, décor et affiches, et de l'architecture d'intérieur. Avant d'illustrer quelque récit, la peinture nabie parle par ses lignes, ses couleurs et son adéquation au lieu qu'elle investit. *Les Couturières* n'affichent pas seulement une simplification des formes, une planéité spatiale et un usage très libre de la couleur, en accord avec le Gauguin de *La Vision après le sermon* (1888, Édimbourg, National Galleries of Scotland), vu lors de l'Exposition universelle de 1889. Son sujet fait écho à l'espace familial du peintre, inscrit l'activité professionnelle de sa mère et de sa sœur dans la sienne. De l'analogie suggérée entre peinture et couture, retenons aussi l'idée d'un art prêt à envahir Paris de ses rythmes neufs.

S. G.

♦

ÉDOUARD VUILLARD
À table (Le Déjeuner), 1892
Huile sur toile, 32 × 46 cm

♦

ÉDOUARD VUILLARD
Le Petit Déjeuner devant la fenêtre, vers 1892
Huile sur carton contrecollé sur panneau
parqueté, 21,6 × 23,5 cm

♦

ÉDOUARD VUILLARD

La Porte, 1892

Encre et lavis sur papier, 24,1 × 18,5 cm

♦
ÉDOUARD VUILLARD
Mère et enfant, vers 1891-1892
Huile sur carton, 29,2 × 14 cm

♦
ÉDOUARD VUILLARD
La Rousse à manches bouffantes vertes,
vers 1891-1892
Huile sur carton, 29,8 × 15,9 cm

◊

ÉDOUARD VUILLARD

Fillettes se promenant, vers 1891

Huile sur toile, 81 × 64,5 cm

Malgré son cloisonnisme apparent, la peinture nabie ne tend pas au statisme des vitraux ni au gel du vivant. Ce sont deux fillettes, leurs nattes l'indiquent, qui s'enfoncent ici dans quelque jardin public, où le peintre les a observées et traduites avec une ingénuité feinte. Il pourrait s'agir du square Berlioz, situé non loin de la place Vintimille (actuelle place Adolphe-Max) et de la rue Pigalle, où le peintre avait son atelier. La richesse des robes à motifs géométriques incline à penser qu'elles appartiennent, réalité ou fiction, au cercle des apprenties dont la mère du peintre est constamment entourée.
Elles se tiennent par la taille et déambulent tranquillement. La figure de gauche, les mains ramenées au creux des reins, pourrait traduire les effets du travail de couture sur son corps maigrichon. Cette apparente pochade est d'un format supérieur aux premiers tableaux que Vuillard expose en 1891 et 1892, de concert avec les autres Nabis. C'est dire qu'il faut y voir l'une des œuvres qui auront le plus contribué à imposer à la fois un style et un imaginaire, que réunit le principe de la mosaïque des sens et du sens. Il suffit d'ouvrir les précieux carnets de Vuillard pour saisir le lien que cette peinture repense entre perception et intellection.
À la date du 2 avril 1891, le diariste livre ses réflexions du moment sur l'activité du regard, preuve que le symbolisme des Nabis fait bon ménage avec les critères de la phénoménologie contemporaine : « Les formes apparaissent à nos yeux. On les voit et elles apparaissent. Dans quelles conditions ? Une forme se distingue, c'est-à-dire existe séparée de ce qui l'environne ; elle est plus claire ou plus sombre que ce qui est alentour ; elle est plus lumineuse ou moins, c'est le sentiment de ce plus ou de ce moins que le peintre exprime et selon le degré de conscience d'une part et de sincérité d'autre part, l'œuvre sera. » Ce faisant, les premiers chefs-d'œuvre de Vuillard affichent son goût de l'incomplétude, voire du brouillage iconique, qu'il faut rapprocher de l'attention qu'il porte aux germinations fantastiques de Redon.
Lui n'a nul besoin de sortir du monde moderne et d'irréaliser complètement l'image pour en faire surgir une grâce secrète. Si Vuillard agit en musicien des sentiments et des formes et préfère « l'analogie » à « la photographie », il ne quitte guère le milieu de ses émotions les plus chères pour quelque « non-lieu » chimérique. Telle est la feuille de route de Vuillard.

S. G.

♦

ÉDOUARD VUILLARD

Les Noctambules, vers 1894-1895

Pastel sur papier bistre, 24,8 × 15,9 cm

♦

ÉDOUARD VUILLARD

Madame Vuillard examinant son ouvrage,
dit aussi *Madame Vuillard cousant*, vers 1895
Huile sur carton, 29,2 × 27,9 cm

♦

ÉDOUARD VUILLARD
La Conversation (Alfred Natanson et Marthe Mellot), 1897-1899
Huile sur carton contrecollé sur panneau parqueté, 53,9 × 67,3 cm

♦

ÉDOUARD VUILLARD

Le Modèle dans l'atelier, 1916

Huile sur carton, 13,4 × 9,5 cm

◊

◊

PIERRE BONNARD

Vuillard vu de profil, vers 1891

Huile sur carton, 26 × 19 cm

ÉDOUARD VUILLARD

Pierre Bonnard, 1891

Huile sur carton, 32,5 × 21,5 cm

Bonnard, Vuillard : très vite, amis et critiques associent les deux artistes, et soulignent les profondes affinités de leur peinture intimiste, singulière parmi les Nabis. Par-delà l'étonnante consonance de leurs noms, c'est une grande fraternité qui les unira durant les cinquante ans qui séparent leur rencontre de la mort de Vuillard, en 1940. De cette amitié naissent quelques beaux portraits réciproques, qui occupent une place à part dans leur production. De dimensions modestes, synthétiques, tels des icônes, ils frappent par la force de leur composition et la simplification des traits. Ces deux portraits croisés témoignent d'un moment de particulière intimité entre les deux peintres : ils partagent alors le même atelier, au 28, rue Pigalle, s'engagent ensemble dans l'aventure de *La Revue blanche* fondée deux ans plus tôt par Thadée Natanson. Ils participeront bientôt aux expériences novatrices du théâtre de l'Œuvre auprès de leur ami Lugné-Poe. Une impression de grande familiarité se dégage de ces œuvres : le cadrage resserré, concentré sur le profil des modèles, en renforce la présence. Pourtant, l'un comme l'autre, pris dans leur intimité, absorbés dans leurs activités ou leurs pensées, se dérobent à notre regard. À l'attention pensive de Vuillard, les yeux baissés, répond le profil perdu de Bonnard, regard myope caché derrière de fines lunettes, un pinceau dans sa main levée, comme s'il était surpris dans l'acte de peindre. C'est encore en pleine activité, en train d'écrire sur le coin d'une table, que Vuillard représente leur ami dramaturge dans son *Portrait de Lugné-Poe* (Rochester, Memorial Art Gallery of the University of Rochester), cette même année 1891 : plus que d'un hommage amical, ces portraits sont les témoins d'une communauté de vie et de pensée, d'un engagement artistique commun.

C. B.

ÉDOUARD VUILLARD
Les Nourrices
La Conversation
L'Ombrelle rouge
Peinture à la colle sur toile,
213 × 154 cm ; 213 × 73 cm ; 214 × 81 cm
Musée d'Orsay, acquis en 1929

ÉDOUARD VUILLARD
Filette jouant
L'interrogatoire
Huile sur toile, 214,5 × 88 cm ; 214,5 × 92 cm
Musée d'Orsay, legs de Mme Alexandre Radot, 1978

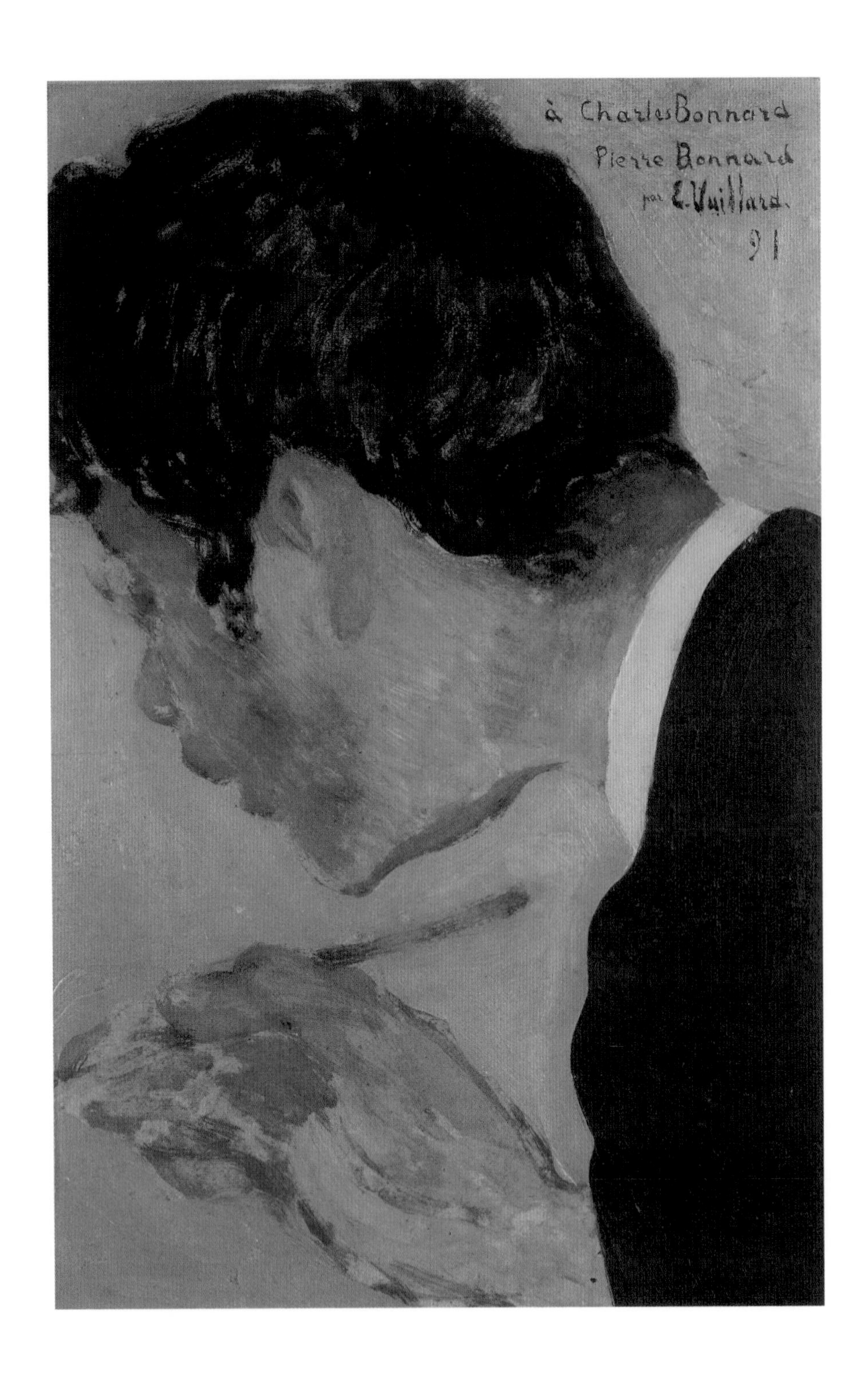
à Charles Bonnard
Pierre Bonnard
par E. Vuillard.
91

♦

ÉDOUARD VUILLARD

Dame à la fenêtre, vers 1900

Huile sur carton, 49,2 × 62 cm

◊

ÉDOUARD VUILLARD

Les Premiers Pas (7e panneau des *Jardins publics*), 1894

Peinture à la colle sur toile, 213,4 × 68,5 cm

Vuillard a eu le souci constant du grand décor, équivalent moderne du tableau d'histoire, comme l'ont été aussi les derniers portraits. On a trop longtemps pris ses gammes journalières, merveilleuses pochades ou sténographies précieuses, pour l'admirable moisson d'un anachorète sans autre ambition que de transfigurer, à la manière du cher Mallarmé, les êtres et les objets de son univers intérieur. Cette fausse dispersion tient davantage de la « méthode » du décorateur qu'il entendait vite devenir. Plus souvent privés que publics, les décors de Vuillard sont donc le lieu d'un investissement et d'une convergence essentielle. Hasard et volonté, l'occasion lui a été offerte, tout au long de sa vie, de se mesurer aux maîtres du genre, anciens et modernes, Giotto comme Puvis de Chavannes, Lorenzetti comme Redon. Les cycles décoratifs de Vuillard ont cristallisé une esthétique tendue entre impressionnisme et synthétisme, le discontinu des apparences et la généralité de l'imaginaire. La fiction, pour citer Mallarmé qu'il a tant lu, est de l'ordre du langage et de ses sortilèges particuliers. La tentation « mystique », pour employer maintenant un mot fréquent sous la plume du jeune Vuillard, ne fut que de courte durée, non moins que l'esthétique du signe pur, hautement subjectif, propre aux Nabis. Dès le milieu des années 1890, sa peinture retrouva l'équilibre, quoique autrement, des tout premiers tableaux, quand l'élève de l'École des beaux-arts se mesurait à Chardin. C'est d'ailleurs ce dernier qui fit ressurgir, durant l'été 1894, la commande des *Jardins publics*, œuvre destinée au salon de l'hôtel particulier qu'Alexandre Natanson et son épouse occupaient avenue Foch. Les tapisseries médiévales du musée de Cluny venaient de le conforter dans l'ambition de parler à mi-voix, de préférer la confidence au fracas, la matité de la peinture à la colle aux luisances de l'huile, de se réinventer en fresquiste des verts paradis de l'enfance : « Dans les tapisseries [*sic*], je pense qu'en agrandissant purement et simplement mon petit panneau, cela ferait le sujet d'une décoration. Sujets humbles de ces décorations de Cluny ! Expression d'un *sentiment intime* sur une plus grande surface voilà tout ! La même chose qu'un Chardin par exemple. » Vuillard, autre note du Journal, parle encore de « ses rêves qui seront des réalités pour les autres dès que je leur aurai donné une antériorité ». De cette esthétique de l'anamnèse, le cycle des *Jardins publics* est la première expression totale, parce que totalisante. Les neufs panneaux, dont deux purement végétaux, enveloppaient littéralement le salon des Natanson qui servait aussi de salle à manger, au rez-de-chaussée de leur belle demeure. Revenant à la magie douce-amère des squares et autres espaces verts de la capitale, une constante de sa peinture, Vuillard a bien compris qu'il ne pouvait se permettre d'en figer la représentation, la topographie et la narration : « Vraiment, note-il en 1894, comme décoration d'appartement un sujet objectivement trop précis deviendrait facilement insupportable. » La référence aux Tuileries et au bois de Boulogne, voisin de l'hôtel des Natanson, restera donc latente, légère et insinuante, pareille au ballet des enfants et de leurs nourrices qui se déroule devant nos yeux selon un mouvement déjà cinématographique. Toutefois, aucune unité narrative ne vient souder entre eux les différents aperçus qui se succèdent. L'ensemble tient plus du décor de théâtre et de ses volontaires ambiguïtés, domaine dans lequel les Nabis ont excellé. Une seule figure ou presque nous fait face et se dirige vers nous sur ses jambes tremblantes. C'est l'enfant des *Premiers Pas*, qui ouvre ses bras et crée un lien supplémentaire entre sphère privée et sphère publique. Vuillard ne se contentait pas seulement d'« émouvoir l'espace », comme Gide le dit de Bonnard. En bon scénographe, il donnait aux événements du quotidien, éphémères et éternels, drames intimes, leur juste essor.

S. G.

ÉDOUARD VUILLARD

Biana Duhamel dans le rôle de Miss Helyett, vers 1891-1892

Pastel sur papier, 41,3 × 25,7 cm

Bien qu'elle ait disparu du répertoire de nos salles, à tort sans doute, l'opérette fut l'un des plus grands succès de la Belle Époque : *Miss Helyett*, musique d'Edmond Audran et paroles de Maxime Boucheron, connut quatre cents représentations consécutives après la première des Bouffes-Parisiens, le 12 novembre 1890… Son succès n'a pas échappé à Vuillard, d'autant plus que l'argument met aux prises une Américaine de seize ans et un peintre français qui « prennent les eaux » en même temps. Au cœur des Pyrénées, le casino-hôtel de Val-Montois draine une clientèle internationale, le toréador Puycardas comme James Richter, négociant de Chicago en mal d'épouse… Aimable satire du puritanisme d'outre-Atlantique, *Miss Helyett* brode grivoisement sur une série de quiproquos issus de la meilleure tradition de la musique légère. À l'efficace scénique des deux auteurs, Biana Duhamel apportait la fleur de ses vingt ans, une voix modeste mais un abattage exceptionnel. On se souvient plus de sa relation romanesque avec le baron de l'Épée. Le pastel de Vuillard l'immortalise en pleine action, sous les feux de la rampe qui enveloppent ses contorsions de jaune vif… Sans doute le peintre, déjà associé aux expérimentations du théâtre d'avant-garde, a-t-il forcé la note. Il est vrai qu'il venait après Degas et Manet, après leurs scènes de music-hall aux lumières tranchées et aux coloris tapageurs. La féerie populaire ne s'embarrasse pas des délicatesses de la Comédie-Française et de l'Opéra Garnier. Si ses amis de *La Revue blanche*, le bon vivant Romain Coolus en tête, avaient conspué l'opérette de Boucheron et Audran, Vuillard, en revanche, en tire un profit immédiat. L'image traduit sans détour les désirs et les interdits sexuels qui trament cette histoire de mariage à multiples rebondissements. Comme Toulouse-Lautrec, Vuillard aurait-il consulté l'imagerie médicale des folles de la Salpêtrière et autres hystériques ? Ce n'est pas impossible. Moins douteuse est la marque de l'estampe japonaise, avide de figures serpentines et de femmes légères. Biana Duhamel, écrit Guy Cogeval, « devient une sorte de calligraphie dynamique, une image hors du temps aux couleurs violentes, qui manifeste idéalement les expériences les plus avancées de Vuillard vers 1890 […] : le corps vuillardien n'existe que porté par le geste ». La radicalité nabie, papillon imprévisible, faisait son miel de la moindre bluette.

S. G.

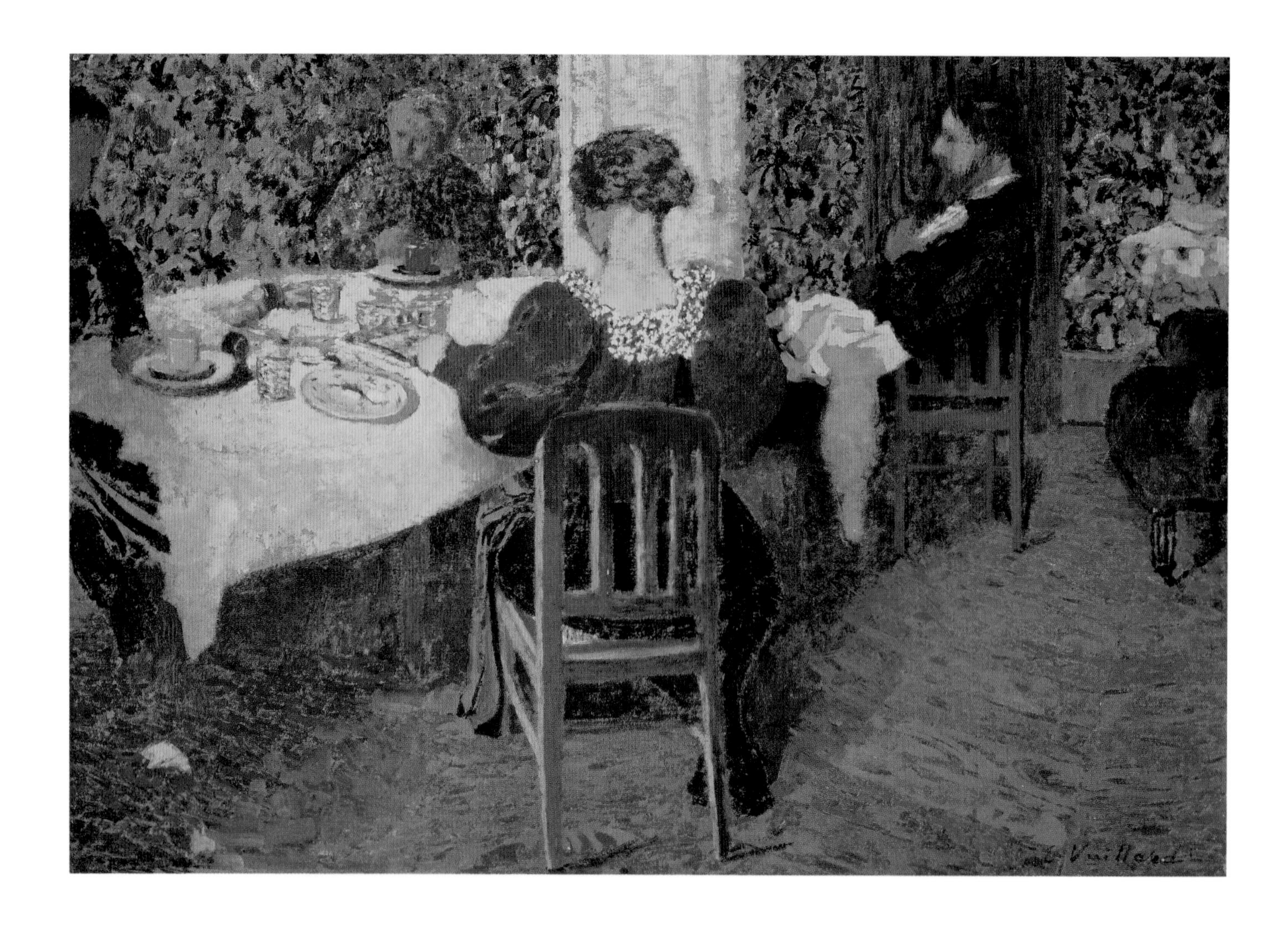

ÉDOUARD VUILLARD

La Table. La fin du déjeuner chez Madame Vuillard, vers 1895

Huile sur carton contrecollé sur panneau parqueté, 49,5 × 68,5 cm

D'excellente provenance puisqu'il a appartenu à Jos Hessel, l'un des collectionneurs les plus avertis de Vuillard, le tableau présente une autre particularité. Sa largeur est semblable à celle des différents panneaux qui constituent *Les Jardins publics* (Paris, musée d'Orsay). Il faut croire qu'elle sied aux récits étouffés du peintre et à leur mathématique discrète, accrue ici par la présence centrale de sa sœur Marie. C'est aussi la proportion idéale des scènes domestiques, où Vuillard retrouve les tensions de Caillebotte. La lumière latérale n'y change rien, une lourdeur indéniable plane sur ce déjeuner bourgeois. La mère du peintre, au fond, semble absorbée par le papier peint, mur de silence angoissant. À droite, de profil, se présente Ker-Xavier Roussel, peintre et beau-frère de Vuillard. Mais l'homme, faune impénitent, multiplie alors les infidélités. Et le couple vient de connaître de mauvaises heures après la découverte de la relation qu'entretient Roussel avec l'une des sœurs de Paul Ranson. Qui est le quatrième personnage ? S'il s'agit de Vuillard lui-même, il a préféré s'absenter d'un drame dont il souffre et qu'il observe avec son tact habituel. Rien ici ne chante en dehors de la nuque ingresque de Marie, dos au spectateur, comme perdue dans ses interrogations. L'élégance appuyée des manches gigot et le col semé de blanc mettent en lumière son cou effilé. On pense inévitablement à *La Nuque de Misia* (collection particulière), qui devait faire rimer vénération et indiscrétion avec la fausse pudeur des estampes japonaises. Le désaxement de la composition en découle aussi. 1895, du reste, est l'année où Vuillard est adoubé par Thadée et Misia Natanson, fraîchement mariés. Les bureaux de *La Revue blanche* l'attirent alors rue des Martyrs, non loin, pour un marcheur comme lui, de la rue Laffitte où vit le couple en vue. Surmontant vite sa timidité maladive, Vuillard part à la conquête d'un milieu qui devient le sien par la grâce de la maîtresse de maison. La « Pompadour de *La Revue blanche* » (Georges Bernier) traîna toujours derrière elle une cohorte de prétendants, parmi lesquels Vuillard n'était pas le moins assidu. C'est aussi l'époque où le groupe nabi se scinde à jamais, avant même que l'affaire Dreyfus ne vienne créer un autre clivage profond. Arthur Huc peut alors séparer les « néotraditionnistes », Denis et Ranson, des « néoréalistes », étiquette sous laquelle le critique réunit Toulouse-Lautrec, Anquetin, Vallotton, Bonnard et Vuillard.

S. G.

ÉDOUARD VUILLARD
Femme à la blouse rayée (tournée vers la droite ; tournée vers la gauche), 1895
Porcelaine peinte, diam. 22,7 cm chaque

♦

ÉDOUARD VUILLARD

La Ceinture noire, vers 1895
Huile sur papier marouflé sur toile,
16,8 × 16,8 cm

♦

ÉDOUARD VUILLARD

La Coupe bleue, vers 1895-1898
Huile sur carton contrecollé sur panneau
parqueté, 24,8 × 20,6 cm

ÉDOUARD VUILLARD

Mademoiselle Jacqueline Fontaine, 1911-1912

Huile sur toile, 179 × 129 cm

Édouard Vuillard a dû faire la connaissance d'Arthur Fontaine, de son épouse et de leurs enfants peu de temps avant que ce dernier, socialiste modéré, fût nommé directeur du travail par Alexandre Millerand. Celui-ci venait de rejoindre le gouvernement de Défense républicaine, dirigé par Pierre Waldeck-Rousseau, en tant que ministre du Commerce et de l'Industrie. En pleine affaire Dreyfus, cette nomination de Millerand divise le clan socialiste. Vuillard, favorable au capitaine accusé de trahison, se rapproche donc de Fontaine et d'un milieu en accord avec ses convictions de républicain progressiste. Le réseau de ce polytechnicien comprend, il est vrai, quelques figures d'élite du monde parisien : Claudel, Gide et Debussy fréquentent chez lui, avenue de Villars. Fontaine collectionne la peinture moderne et possède deux Maurice Denis, dont *Les Muses* (Paris, musée d'Orsay). Il semble que christianisme et socialisme ne soient jamais entrés en conflit chez ce lecteur à l'esprit large. Les premiers tableaux que Vuillard a peints pour lui, et ils seront nombreux, datent de 1904. Au Salon d'Automne, cette année-là, est exposé *La Causerie chez les Fontaine* (collection particulière), panneau presque carré, dynamisé par l'étendue du sol et la relégation sereine des figures à l'arrière-plan. Vuillard, de même, a préparé avec soin son portrait de Jacqueline Fontaine, la fille du maître de maison, achevé en 1912 dans la douleur. En témoigne le texte en style télégraphique du Journal : « Déroute intérieure au sujet de Jacqueline, ne sait comme m'y prendre, lettre de Fontaine, déjeune avec maman, ne sait cacher mon désespoir. Nerveux. » Le naturel des portraits tardifs de Vuillard dissimule merveilleusement le défi qu'ils représentent pour l'artiste soumis à une production tendue. Comme Degas et Cézanne avant lui, l'ami des Fontaine tire profit de la géométrie d'une bibliothèque à hauteur d'homme. La bigarrure des livres le retient moins que le quadrillage des montants et des étagères sur lequel se découpe la jeune femme avec son énergie particulière. Rien ne semble pouvoir dompter la personnalité qui se devine dans ce visage encore enfantin et ce poing serré. Montrée chez Bernheim-Jeune en 1912, l'œuvre devait inquiéter la maîtresse de Vuillard, la très possessive Lucy Hessel.

S. G.

♦

ÉDOUARD VUILLARD

Portrait de Marie Vuillard, vers 1888

Fusain sur papier, 22,9 × 17,8 cm

♦

ÉDOUARD VUILLARD

Profil, 1916

Huile sur carton, 14 × 10,5 cm

♦

LISTE DES ŒUVRES

LAWRENCE ALMA-TADEMA
(Dronrijp, Pays-Bas, 1836 – Wiesbaden, Allemagne, 1912)

Portrait de Miss MacWhirter, 1889
Huile sur panneau, 32,5 × 10,5 cm
S. et numéroté c.d. : *L. Alma Tadema OP. CCXVI*
HISTORIQUE ▷ Commandé par John MacWhirter, ami et collègue de l'artiste à Londres ; collection John MacWhirter, Londres, 1889 ; collection Mme John MacWhirter, Londres, 1911, par succession ; collection Mme Charles Sims, Londres, par succession ; vente Christie's, Londres, 29 novembre 1985, n° 81 ; Pyms Gallery, Londres, 1986. ▮ p. 39

LOUIS ANQUETIN
(Étrépagny, France, 1861 – Paris, France, 1932)

Promenade, 1892
Huile sur toile, 91,7 × 73,4 cm
S.D.b.d. : *Anquetin 92*
HISTORIQUE ▷ Acquis à la vente Sotheby's, New York, 11 novembre 1999, n° 235. ▮ p. 40

JEAN BÉRAUD
(Saint-Pétersbourg, Russie, 1849 – Paris, France, 1935)

La Lettre, 1908
Huile sur panneau, 45,7 × 37,2 cm
S.D.b.g. : *Jean Béraud. 1908*
HISTORIQUE ▷ Bernheim-Jeune, acquis de l'artiste le 3 octobre 1908 (stock n° 16769), vendu le 19 novembre 1908 ; vente Parke-Bernet Galleries, New York, 13 avril 1949, n° 20 (sous le titre *Au café*) ; vente Sotheby's, New York, 22 mai 1986, n° 64 ; collection Theo Geissenberger, New York ; acquis à la vente Sotheby's, New York, 22 avril 1989, n° 167. ▮ p. 43

♦

Portrait de Jean Lebaudy, s.d.
Huile sur toile, 55,5 × 34 cm
S.b.g. : *Jean Béraud*
HISTORIQUE ▷ Vente hôtel Drouot, Paris, 10 juin 1983, n° 49 ; vente Sotheby's, New York, 19 octobre 1984, n° 118 ; vente Sotheby's, New York, 16 février 1994, n° 164. ▮ p. 42

ÉMILE BERNARD
(Lille, France, 1868 – Paris, France, 1941)

Femme à Saint-Briac, 1886
Huile sur toile, 55,5 × 46,5 cm
D. et localisé b.c. : *St. Briac 20 juin*
HISTORIQUE ▷ Collection M. et Mme Adolphe Stern, New York ; vente Sotheby Parke-Bernet, New York, 20 juin 1981, n° 71 ; collection particulière, Europe ; acquis à la vente Christie's, Paris, 1er décembre 2006, n° 59. ▮ p. 44

JACQUES-ÉMILE BLANCHE
(Paris, France, 1861 – Offranville, France, 1942)

Guitariste, dit aussi *Portrait de Charles Laval (1862-1894)*, 1885
Pastel, 64,5 × 48,5 cm
S.D. et dédicacé b.d. : *à M. Prat son ami J E Blanche 85*
HISTORIQUE ▷ Galerie Cardo, Passy ; collection René Gabriel, Paris ; acquis de la galerie Hopkins-Thomas-Custot, Paris. ▮ p. 45

ARBIT BLATAS
(Kaunas, Lituanie, 1908 – New York, États-Unis, 1999)

Portrait de Soutine, s.d.
Bronze, H. 34,3 cm
S. et numéroté : *Blatas 4*
HISTORIQUE ▷ Acquis à la vente Sotheby's, New York, 9 octobre 1992, n° 209. ▮ p. 198 haut

GIOVANNI BOLDINI
(Ferrare, Italie, 1842 – Paris, France, 1931)

Portrait du comte Constantin de Rasty, s.d.
Aquarelle et gouache sur papier marouflé sur carton, 71,1 × 39,4 cm
S.c.d. : *Boldini*
HISTORIQUE ▷ Collection sir Valentine Abdy ; vente Sotheby's, New York, 28 février 1990, n° 98 ; vente Sotheby's, Londres, 25 novembre 1992, n° 703 ; acquis à la vente Sotheby's, New York, 13 octobre 1993, n° 106. ▮ p. 46

PIERRE BONNARD
(Fontenay-aux-Roses, France, 1867 – Le Cannet, France, 1947)

La Boutique du fleuriste, 1894
Huile sur toile, 22 × 22,5 cm
S.D.b.g. : *Pierre Bonnard 1894*
HISTORIQUE ▷ Collection Jacques Helft, Paris ; galerie Paul Pétridès, Paris ; collection M. et Mme Adolphe A. Juviler, New York et Palm Beach ; vente Parke-Bernet, New York, 25 octobre 1961, n° 12 ; acquis à la vente Sotheby's, New York, 26 février 1981, n° 14. ▮ p. 52

♦

B comme Brouille, étude préparatoire pour une lithographie, 1893
Aquarelle et crayon sur papier, 25,4 × 31 cm
S.b.d. : *PB*, et cachet : *BONNARD*
HISTORIQUE ▷ Acquis de Wildenstein & Co., New York, 2007. ▮ p. 57

♦

Café dans le Bois, dit aussi *Jardin de Paris* (partie d'un triptyque), 1896
Huile sur toile, 48 × 33 cm
S.d.b.d. : *Bonnard 96*
HISTORIQUE ▷ Alex Reid et Lefevre, Londres, 1946 ; acquis à la vente Sotheby's, New York, 4 novembre 1982, n° 43. ▮ p. 60

♦

Le Cid de Jules Massenet, projet d'affiche, 1891-1892
Aquarelle et encre de Chine sur papier, 31,8 × 20 cm
S.b.d. : *Bonnard*
HISTORIQUE ▷ Acquis de Wildenstein & Co., New York, 2005. ▮ p. 59

♦

Le Corsage à carreaux (Portrait de Mme Claude Terrasse, sœur de l'artiste), vers 1892
Huile sur toile, 61 × 33 cm
HISTORIQUE ▷ Collection Mme Claude Terrasse ; collection Vivette Floury, nièce de l'artiste ; collection particulière, Zurich ; collection particulière ; collection Louis Reijtenbagh ; acquis à la vente Sotheby's, New York, 4 novembre 2009, n° 29. ▮ p. 51

♦

Le Couple, s.d.
Aquarelle et encre sur papier, 31,4 × 20 cm
HISTORIQUE ▷ Kleeman Galleries, New York ; collection Lee V. Eastman ; acquis à la vente Christie's, New York, 2 novembre 2005, n° 105. ▮ p. 56

♦

La Dame en brun, 1894
Huile sur papier marouflé sur bois, 44 × 21,5 cm
S.D.b.d. : *Bonnard 94*
HISTORIQUE ▷ The Hanover Gallery, Londres ; collection J. N. Bryson, acquis de la précédente en 1948 ; vente Christie's, Londres, 6 décembre 1977, n° 27 ; collection particulière, Europe, acquis lors de la précédente ; vente Sotheby's, Londres, 22 juin 1993, n° 41 ; collection particulière, acquis lors de la précédente ; acquis à la vente Sotheby's, New York, 12 mai 1999, n° 263. ▮ p. 64

♦

Deux hommes devant des affiches [VIOR], vers 1920
Crayon et encre, 31 × 20 cm
S.b.d. : *PB*
HISTORIQUE ▷ Vente Sotheby's, Londres, 20 mars 1996, n° 213. ▮ p. 56

♦

Espièglerie. Morceau de F. Thome, étude pour une partition illustrée, vers 1895
Crayon, aquarelle et encre noire sur papier, 23,2 × 15,2 cm
S.b.d. : *Bonnard*
HISTORIQUE ▷ Succession de l'artiste ; acquis de Wildenstein & Co., New York, 2007. ▮ p. 59

♦

Étude pour *Les Demoiselles Natanson*, s.d.
Crayon sur papier, 30,2 × 35,9 cm (avec cadre) ▮ p. 198 bas

♦

Étude pour le paravent *Promenade des nourrices, frise de fiacres*, 1894
Aquarelle sur traits de crayon sur papier, 27 × 50 cm env.
Inscription au crayon : *projet pour le Paravent lithos en 4 feuilles* ; S.b.d. : *Bonnard*
HISTORIQUE ▷ Acquis de Wildenstein & Co., New York, 2005. ▮ p. 55

♦

Étude pour *Scène de famille* (recto) ; étude pour *Femme et enfant, scène de rue* (verso), 1893
Aquarelle et crayon sur papier (recto) ; encre et fusain (verso), 30 × 30,5 cm
S.b.d. : *Bonnard* ; et cachet en bas : *BONNARD* (recto) ; S.b.g. du cachet : *BONNARD* (verso)
HISTORIQUE ▷ Acquis de Wildenstein & Co., New York, 2007. ▮ p. 57

♦

Étude préparatoire pour le troisième panneau du paravent *Promenade des nourrices, frise de fiacres*, vers 1894
Crayon, gouache noire, craie blanche sur papier, 133 × 47,7 cm
S.b.d. du cachet : *Bonnard*
HISTORIQUE ▷ Succession de l'artiste ; collection particulière ; acquis de Wildenstein & Co., New York, 2005. ▮ p. 54

♦

Femme arrosant un géranium à sa fenêtre, vers 1895
Huile sur carton, 24,8 × 18 cm
S.b.d. : *Bonnard*
HISTORIQUE ▷ Collection Léon Delaroche, Paris ; collection particulière ; acquis à la vente Christie's, New York, 8 novembre 2006, n° 66. ▮ p. 60

♦

Femme nue debout, de face, s.d.
Crayon sur papier, 31,1 × 20 cm
S.b.d. du monogramme : *PB*
HISTORIQUE ▷ Succession de l'artiste ; Jerrold Morris Gallery, Toronto ; collection particulière, 1968, acquis de la précédente ; acquis à la vente Sotheby's, New York, 10 mai 1995, n° 237. ▮ p. 56

♦

Fruits, 1920, achevé vers 1940
Huile sur toile, 35 × 31 cm
S.b.d. : *Bonnard*
HISTORIQUE ▷ Collection Gustave Zumsteg, Zurich ; acquis à la vente Christie's, Londres, 21 juin 1993, n° 37. ▮ p. 65

♦

Hamlet d'Ambroise Thomas, projet d'affiche, 1889
Crayon, aquarelle et encre noire sur papier, 30,3 × 18,4 cm
S.b.g. : *Bonnard*
HISTORIQUE ▷ Succession de l'artiste ; acquis de Wildenstein & Co., New York, 2005. ▮ p. 59

♦

L'Heure des bêtes : les chats, dit aussi *Le Déjeuner des bêtes (La Famille Terrasse)*, 1906
Huile sur toile, 75 × 108 cm
S.h.d. : *Bonnard*
HISTORIQUE ▷ Collection A. k., Paris, 1913 ; collection Georges Menier, 1924 ; collection Joseph Hessel, 1930 ; collection Dr Oscar Stern, Stockholm, 1947 ; collection M. et Mme Hugo L. Moser, New York, 1964 ; vente Sotheby Parke-Bernet, New York, 7 novembre 1979, n° 564 ; collection particulière, Mexique ; acquis de la galerie Mitchell-Innes & Nash, New York. ▮ p. 62

♦

Jeune femme se coiffant, vers 1896
Huile sur carton, 54 × 36 cm
S.b.g. : *Bonnard*
HISTORIQUE ▷ Collection particulière ; vente galerie Charpentier, Paris, 16 juin 1959, n° 34 ; collection particulière, Paris ; vente palais Galliera, Paris, 17 juin 1965, n° 37 ; acquis de la galerie Hopkins-Thomas-Custot, Paris. ▮ p. 61

♦

La Jeune Fille au parapluie, 1894
Huile sur bois, 26,7 × 17,5 cm
S.D.b.d. : *P Bonnard 94* ; **S. et dédicacé au revers :** *A mon ami Thadée souvenir de la 1re exposition Pierre Bonnard*
HISTORIQUE ▷ Collection Thadée Natanson, Paris, don de l'artiste ; collection Théo Van Rysselberghe ; collection particulière, par succession ; acquis à la vente Christie's, Paris, 1er décembre 2006, n° 22. ▮ p. 53

♦

Paravent à trois feuilles – canard, héron et faisan, 1889
Détrempe sur coton teint en rouge, 3 panneaux de 159,5 × 54,5 cm
S.h.d. sur le troisième panneau du monogramme : *PB* ; **et S.D.b.d. sur le panneau central, en partie effacé dans un carré blanc :** *Pierre Bonnard 1889*
HISTORIQUE ▷ Collection Pierre Bonnard ; collection Andrée Bonnard, avant septembre 1890 ; collection Vivette Floury, nièce de l'artiste ; panneaux passés par succession dans différentes collections particulières, Paris ; acquis de la galerie Hopkins-Thomas-Custot, Paris. ▮ p. 49

♦

Pas redoublé, étude pour une partition illustrée, vers 1893
Aquarelle et encre de Chine sur papier, 39,4 × 30,8 cm
S.b.g. du monogramme : *PB* ; **et cachet :** *Bonnard*
HISTORIQUE ▷ Succession de l'artiste ; acquis de Wildenstein & Co., New York, 2005. ▮ p. 59

♦

Portrait de jeune fille (Berthe Schaedelin), 1892
Huile sur carton, 32,5 × 12 cm
S.b.g. du monogramme : *PB*
HISTORIQUE ▷ Collection Mme Pierre, Paris ; galerie Daniel Malingue, Paris ; collection Josefowitz, Suisse ; vente Christie's, Londres, 4 février 2002, n° 1 ; acquis de Nancy White Fine Arts, New York. ▮ p. 50

♦

Vuillard vu de profil, vers 1891
Huile sur carton, 26 × 19 cm
S.h.d. du monogramme : *PB*
HISTORIQUE ▷ Collection particulière ; acquis en juin 2005. ▮ p. 178

GUSTAVE CAILLEBOTTE
(Paris, France, 1848 – Gennevilliers, France, 1894)

Nature morte au homard, 1883
Huile sur toile, 38 × 55 cm
S.b.d. : *Caillebotte*
HISTORIQUE ▷ Collection Georges Caillebotte, Paris, vers 1894 ; collection Mme Quillard, née Caillebotte, Flers ; collection particulière, Paris ; acquis de la galerie Hopkins-Thomas, Paris. ▮ p. 67

♦

Rosier et iris mauve, jardin du Petit-Gennevilliers, 1892
Huile sur toile, 79 × 36 cm
S.b.d. : *G. Caillebotte*
HISTORIQUE ▷ Collection Martial Caillebotte, Paris ; collection Ambroise Vollard, Paris ; collection André Maurice, Paris, vers 1961 ; vente hôtel Drouot, Paris, 10 décembre 1987, n° 50 ; collection particulière, Connecticut, 1988 ; acquis de la galerie Hopkins-Thomas, Paris. ▮ p. 68

ALBERT-ERNEST CARRIER-BELLEUSE
(Anizy-le-Château, France, 1824 – Sèvres, France, 1887)

Diane victorieuse, s.d.
Bronze, H. 76,2 cm
S. : *Carrier-Belleuse*
HISTORIQUE ▷ Acquis à la vente Sotheby's, New York, 16 février 1994, n° 215. ▮ p. 69

♦

Nu aux roseaux, vers 1865-1875
Terre cuite, H. 71,12 cm
HISTORIQUE ▷ Collection particulière, France ; acquis de De Rempich Fine Arts, New York. ▮ p. 69

CAMILLE COROT
(Paris, France, 1796-1875)

L'Atelier de Corot (Jeune femme en robe rose assise devant un chevalet et tenant une mandoline), vers 1870-1872
Huile sur toile, 64 × 48,4 cm
S.b.d. : *COROT* ; **S.c.d. :** *COROT*
HISTORIQUE ▷ Collection Jules Paton ; vente hôtel Drouot, Paris, 24 avril 1883, n° 42 ; Arnold et Tripp, Paris, novembre 1891 ; collection Mme Albert Esnault-Pelterie, Paris, à partir de 1900 ; collection Robert Esnault-Pelterie, son fils, 1937 ; prêt au Philadelphia Museum of Art, avril 1937-mars 1950 ; collection Germain Seligman, vendu par le précédent en mars 1950 ; Sam Salz, New York ; collection William S. Paley, New York, vendu par le précédent le 4 juin 1954 ; collection Barbara Cushing Paley, donné par son époux William S. Paley ; collection particulière, par succession ; acquis à la vente Christie's, New York, 9 novembre 1994, n° 6. ▮ p. 71

♦

Fernand Corot, arrière-petit-neveu du peintre à l'âge de quatre ans et demi, 1863
Huile sur toile, 30,5 × 21 cm
S.b.g. : *Corot* ; **D.b.d. :** *2 novembre 1863*
HISTORIQUE ▷ Sam Salz, New York ; collection Donald et Jean Stralem, 1957, acquis du précédent ; acquis à la vente Sotheby's, New York, 8 mai 1995, n° 2. ▮ p. 71

♦

Portrait de Daumier, vers 1870
Huile sur panneau, 20,5 × 15 cm
HISTORIQUE ▷ Collection Mme Daumier ; collection Dr Georges Viau ; Sam Salz, New York, jusqu'en 1954 ; collection Richard et Dorothy Rodgers ; acquis à la vente Christie's, New York, 18 février 1993, n° 11. ▮ p. 70

AIMÉ JULES DALOU
(Paris, France, 1838-1902)

Paysanne française allaitant son enfant, s.d.
Bronze à patine brune, H. 39,4 cm
Inscription : *Dalou cire perdue Susse Fres Edts Paris 2 BRONZE*
HISTORIQUE ▷ Acquis à la vente Sotheby's, New York, 13 octobre 1993, n° 191. ▮ p. 199 haut

EDGAR DEGAS
(Paris, France, 1834-1917)

Danseuse à mi-corps se coiffant, vers 1900-1912
Pastel, 36,8 × 27,9 cm
S.b.g. : *Degas*
HISTORIQUE ▷ Collection Leonard Gow, Dumbartonshire ; vente Christie's, Londres, 28 mai 1937, n° 24 ; M. Knoedler & Co., New York, acquis lors de la précédente ; collection Mme H.B. Spaulding, Buffalo, acquis des précédents, le 6 mai 1938 ; collection particulière, succession ; acquis à la vente Christie's, New York, 4 mai 2005, n° 44. ▮ p. 74

♦

Femme s'épongeant le dos, vers 1895
Pastel sur papier marouflé sur carton, 70 × 60 cm
S.b.g. : *Degas*
HISTORIQUE ▷ 1re vente de l'atelier Degas, galerie Georges Petit, Paris, 6-8 mai 1918, n° 231 ; Ambroise Vollard, Paris, acquis à la vente précédente ; collection Dr Albert Barnes, Merion ; M. Knoedler & Co., New York ; vente Parke-Bernet Galleries, New York, 25 octobre 1961, n° 27 ; collection Lew et Edie Wasserman, Los Angeles, acquis lors de la vente précédente ; acquis à la vente Christie's, New York, 1er novembre 2011, n° 9. ▮ p. 75

♦

Le Petit Déjeuner après le bain, vers 1890-1895
Pastel et fusain, 61 × 74 cm
S.b.g. : *Degas*
HISTORIQUE ▷ 1re vente de l'atelier Degas, galerie Georges Petit, Paris, 6-8 mai 1918, n° 325 ; collection Monteux, Paris. ▮ p. 72

♦

Trois cavaliers, s.d.
Fusain sur papier, 27 × 36 cm
S.b.g. du cachet d'atelier : *Degas*
HISTORIQUE ▷ 4e vente de l'atelier Degas, galerie Georges Petit, Paris, 7-8-9 avril 1919, n° 94 ; vente hôtel Drouot, Paris, 10 décembre 1981, n° 46. ▮ p. 73

MAURICE DENIS
(Granville, France, 1870 – Saint-Germain-en-Laye, France, 1943)

Au jardin, éventail, 1890
Aquarelle, gouache et crayon sur papier, 26,7 × 49,6 cm
S.D.c.g. du monogramme : *MAVD 90*
HISTORIQUE ▷ Collection particulière, Europe ; acquis à la vente Christie's, Paris, 23 mai 2007, n° 84. ▮ p. 78

♦

L'Automne ; Le Printemps, imitation de tapisserie, 1894
Huile sur toile, 230 × 100 cm (chacun)
S.D.b.g. du monogramme : *MAVD 94*
HISTORIQUE ▷ Décoration pour la salle à manger d'Arthur Huc, directeur de *La Dépêche de Toulouse* ; collection particulière, par succession ; galerie Odermatt-Cazeau, Paris, vers 1994 ; Japan Maruko Inc. ; collection particulière, Japon ; acquis de la galerie Waring-Hopkins-Thomas-Custot, Paris, 1999. ▮ p. 77

♦

Femme à la rose (recto) ; *Paysage* (verso), s.d.
Aquarelle et crayon, 12,7 × 20 cm
S. recto et verso du monogramme : *MAVD*
HISTORIQUE ▷ Acquis à la vente Sotheby's, Londres, 29 juillet 1994, n° 342. ▮ p. 78

♦

Fontaine de Grimaldi, s.d.
Crayon et craie sur carton, 20,32 × 27,94 (avec cadre)
S.b.g. du monogramme : *MAVD*
▮ p. 199 milieu

♦

Le Goûter sur la cale, soir, dit aussi *Le Goûter au Pouldu*, 1900
Huile sur toile, 74 × 97 cm
S.D.b.d. du monogramme : *MAVD 1900*
HISTORIQUE ▷ Collection de l'artiste ; collection particulière ; collection Mme Poncet-Denis, Lausanne ; collection Josefowitz, Suisse, 1966 ; collection particulière, en dépôt à Londres, National Gallery ; acquis en 2013. ▮ p. 79

♦

Portrait de Marthe de face, vers 1893
Huile sur toile marouflée sur panneau, 18 × 12 cm
S.b.g. du monogramme : *MAV. D*
HISTORIQUE ▷ Don de l'artiste à Sabine, l'épouse de son fils Jean-François ; collection particulière ; acquis de la galerie Hopkins-Custot, Paris, 2004. ▮ p. 76

ANDRÉ DERAIN
(Chatou, France, 1880 – Garches, France, 1954)

Arlequin à la guitare, debout, s.d.
Huile sur panneau, 53,7 × 45,1 cm
S.b.d. : *A. Derain*
HISTORIQUE ▷ Collection Hanley ; acquis à la vente Sotheby's, New York, 19 octobre 2002, n° 35. ▮ p. 81

♦

Nature morte, s.d.
Gouache sur papier, 17,2 × 24,9 cm
S.b.d. : *A Derain*
HISTORIQUE ▷ Collection J.K. Thannhauser, New York ; acquis à la vente Christie's, New York, 15 mai 1986, n° 119. ▮ p. 199 bas

♦

Nu debout, vers 1935-1936
Crayon sur papier, 33 × 15,2 cm
Cachet d'atelier b.d.
HISTORIQUE ▷ Vente Sotheby's, New York, 7 juin 1984, n° 48 ; acquis en avril 1992. ▮ p. 80

♦

Tête de femme, vers 1919
Crayon sur papier, 40,2 × 28,5 cm
S.b.d. : *A Derain*
HISTORIQUE ▷ Collection James McHugh ; vente Sotheby Parke-Bernet, Los Angeles, 21-23 juin 1982, n° 62 ; acquis à la vente Christie's, New York, 8 novembre 1994, n° 56. ▮ p. 80

PAUL DUBOIS

(Nogent-sur-Seine, France, 1829 – Paris, France, 1905)

Buste de Louis Pasteur, s.d.
Bronze à patine brune, H. 37,5 cm
S. : *P. Dubois* ; marque du fondeur : *ALEXIS RUDIER Fondeur. PARIS*
HISTORIQUE ▷ Acquis à la vente Sotheby's, New York, 26 mai 1994, n° 55. ▮ p. 200 haut

RAOUL DUFY

(Le Havre, France, 1877 – Forcalquier, France, 1953)

Fleurs et feuilles en gris et jaune, projet de textile, vers 1920-1928
Gouache et traces de crayon sur papier, 26,5 × 31 cm
S.b.d. du cachet : *RD BIANCHINI FERIER*
HISTORIQUE ▷ Acquis à la vente Sotheby's, Londres, 24 octobre 2001, n° 744. ▮ p. 82

♦

Fleurs roses sur fond bleu, projet de textile, s.d.
Gouache et traces de crayon sur papier, 25,5 × 23,2 cm
S.b.d. du cachet : *RD BIANCHINI FERIER*
HISTORIQUE ▷ Galerie Marcel Bernheim, Paris ; collection particulière, acquis de la précédente vers 1970 ; acquis à la vente Christie's, Paris, 23 mai 2007, n° 228. ▮ p. 82

♦

Roses dans médaillons, projet de textile, s.d.
Gouache, aquarelle et traces de crayon sur papier, 65 × 50,1 cm
S.b.d. du cachet : *1664 RD BIANCHINI FERIER*
HISTORIQUE ▷ Acquis à la vente Christie's, Paris, 23 mai 2007, n° 226. ▮ p. 82

♦

Rose sur fond rayé, projet de textile, vers 1920-1928
Gouache et traces de crayon sur papier, 19 × 43,5 cm
S.b.d. du cachet : *RD BIANCHINI FERIER*
HISTORIQUE ▷ Vente Christie's, Londres, 3 décembre 1999, n° 242 (non vendu) ; acquis à la vente Sotheby's, Londres, 24 octobre 2001, n° 744. ▮ p. 82

HENRI FANTIN-LATOUR

(Grenoble, France, 1836 – Buré, France, 1904)

Nature morte (bouquet de roses et pêches), 1872
Huile sur toile, 42 × 32,5 cm
S.D.h.d. : *Fantin 72*
HISTORIQUE ▷ Collection Edwin Edwards, Londres ; Walter St. Leger Crowley, Shoreham, acquis au début des années 1900 ; collection particulière, par succession ; acquis à la vente Sotheby's, Londres, 28 juin 1993, n° 23. ▮ p. 85

♦

Nature morte (fruits), 1870
Huile sur toile, 15 × 24 cm
S.D.h.g. : *Fantin 70*
HISTORIQUE ▷ Collection Edwin Edwards, Londres ; Barbizon House Gallery, Londres ; galerie Tempelaere, Paris ; collectioin Van Gelder, Paris ; galerie Arthur Tooth & Sons, Londres ; collection Lockett Thompson ; galerie Douwes, Londres et Amsterdam ; acquis de la galerie Le Musée imaginaire, Abilene, 2003. ▮ p. 200 milieu

♦

Nature morte (tranche de melon), 1869
Huile sur toile, 27,3 × 21,3 cm
S.D.h.g. : *Fantin 1869*
HISTORIQUE ▷ Collection Tempelaere ; Acquavella Galleries, New York ; collection Dorothy Hirshon ; acquis à la vente Sotheby's, New York, 17 novembre 1998, n° 219. ▮ p. 87

♦

Portrait de l'artiste, vers 1860-1861
Huile sur toile marouflée sur carton, 30,8 × 20 cm
S.b.d. : *Fantin*
HISTORIQUE ▷ Collection Tesse, Douai ; collection Thevenet ; galerie Brame et Lorenceau, Paris ; galerie Arnoldi-Livie, Munich ; collection Eugene Victor Thaw, New York ; collection particulière ; acquis à la vente Christie's, New York, 25 mai 1994, n° 29. ▮ p. 86

CHARLES FILIGER

(Thann, France, 1863 – Plougastel, France, 1928)

Notations chromatiques, après 1900
Aquarelle, gouache, crayon graphite et crayon de couleur sur papier, 24,4 × 29,8 cm
S.b.c. : *CF*
HISTORIQUE ▷ Collection particulière, Europe ; acquis à la vente Christie's, Paris, 23 mai 2007, n° 76. ▮ p. 88

PAUL FOLLOT

(Paris, France, 1877 – Sainte-Maxime, France, 1941)

Banquette, vers 1920-1930
Bois doré sculpté et garniture moderne, 300 × 120 × 120 cm env.
HISTORIQUE ▷ Acquis de la galerie Bernard Steinitz en mai 2007. ▮ Non reproduit

♦

Deux chaises, vers 1920-1930
Bois doré sculpté et garniture moderne, 93,9 × 47,6 × 52,7 cm
HISTORIQUE ▷ Acquis de la galerie Bernard Steinitz en mai 2007. ▮ Non reproduit

♦

Deux fauteuils, vers 1920-1930
Bois doré sculpté et garniture moderne, 109,2 × 66,6 × 78,7 cm
HISTORIQUE ▷ Acquis de la galerie Bernard Steinitz en mai 2007. ▮ p. 27

JEAN-LOUIS FORAIN

(Reims, France, 1852 – Paris, France, 1931)

À l'Opéra. La Sortie des danseuses, 1888
Encre et crayon de couleur sur papier, 33 × 25,5 cm
Titré b.c. : *à l'Opéra. La sortie des danseuses* ;
S.b.d. : *forain*
HISTORIQUE ▷ Vente Parke-Bernet Galleries, New York, 30 mars 1949, n° 10 ; collection particulière, New York ; acquis de la galerie Hopkins-Thomas, Paris. ▮ p. 92

♦

L'Atelier, s.d.
Pastel et fusain sur papier marouflé sur carton, 61 × 49,5 cm
S.b.g. : *forain*
HISTORIQUE ▷ Collection Durand-Ruel, Paris ; collection Rebecca Shulman, New York ; vente Parke-Bernet Galleries, New York, 26 avril 1961, n° 14 ; acquis à la vente Sotheby's, New York, 9 octobre 1992, n° 5. ▮ p. 95

♦

Au bal masqué, vers 1885
Aquarelle, gouache et encre sur papier, 34 × 24,5 cm
S.c.g. : *J. L. Forain*
HISTORIQUE ▷ Collection particulière, France ; acquis à la vente Sotheby's, Londres, 20 juin 2007, n° 209. ▮ p. 92

♦

Au Skating, dit aussi *Un bal masqué*, 1885-1890
Huile sur toile, 64,8 × 92,7 cm
S.b.d. : *j. l. forain*
HISTORIQUE ▷ Collection M.J.W. Freshfield ; vente Christie's, Londres, 30 novembre 1976, n° 26 ; acquis à la vente Sotheby's, New York, 24 mai 1995, n° 300. ▮ p. 92

♦

Aux Folies-Bergère (La Loge), vers 1886
Huile sur bois, 24 × 19 cm
S.b.d. : *J. L. Forain*
HISTORIQUE ▷ Collection Durand-Ruel, Paris ; collection Mme d'Alayer, née Marie-Louise Durand-Ruel ; vente Sotheby's, Londres, 22 juin 1993, n° 15. ▮ p. 93

♦

Belle aux paillettes d'or, 1879-1880
Gouache, aquarelle et rehauts d'or sur papier, 26,2 × 13,2 cm
S.h.d. : *L. Forain*
HISTORIQUE ▷ Galerie Antoine Laurentin, Paris ; acquis de la galerie Huguette Bérès, Paris. ▮ p. 90

♦

Portrait de Camille Pissarro, vers 1879
Aquarelle sur papier, 21 × 14 cm
Dédicacé b.d. : *a Pissaro (sic)* ;
S.b.d. : *L. Forain*
HISTORIQUE ▷ Don de Camille Pissarro à sa fille Jeanne ; collection Claude Bonin, fils de la précédente, Paris ; vente Sotheby's, Londres, 29 juillet 1994, n° 349 ; galerie Hopkins-Custot, Paris. ▮ p. 89

♦

Portrait de Madame Sylvia, s.d.
Pastel sur papier, 59 × 36,5 cm
Dédicacé b.d. : *à Sylvia C. amicalement* ;
S.b.d. : *J L Forain*
HISTORIQUE ▷ Collection Yvan Stchoukine ; Durand-Ruel, Paris, acquis du précédent le 2 décembre 1898 ; collection Mme d'Alayer, née Marie-Louise Durand-Ruel ; vente Christie's, Londres, 23 juin 1993, n° 152 ; acquis de la galerie Hopkins-Thomas, Paris. ▮ p. 94

♦

Un amateur de vieilles faïences, vers 1877-1879
Aquarelle et encre sur papier, 23,5 × 10,8 cm
Titré b.c. : *un amateur de vieilles faïences* ;
S.b.d. : *L. Forain*
HISTORIQUE ▷ Galerie Philippe Reichenbach, Paris ; succession William M.V. Kingsland ; acquis à la vente Christie's, New York, 21 juin 2011, n° 15. ▮ p. 200 bas

PAUL GAUGUIN

(Paris, France, 1848 – Atuona, îles Marquises, 1903)

Dame en promenade, dit aussi *La Petite Parisienne*, d'après un modèle de 1881
Bronze, H. 27,4 cm
S. sur la base : *P. Gauguin*
HISTORIQUE ▷ Acquis à la vente Christie's, New York, 20 novembre 1986, n° 312. ▮ p. 97

♦

Scène bretonne, projet d'éventail, 1889
Aquarelle, encre et crayon sur papier, 26,7 × 47 cm
S.b.d. : *P Gauguin*
HISTORIQUE ▷ Collection Olivier Sainsère, Paris ; vente palais Galliera, Paris, 29 juin 1962, n° 7 ; collection Lew et Edie Wasserman, Los Angeles, acquis vers 1965 ; acquis à la vente Christie's, New York, 1er novembre 2011, n° 8. ▮ p. 96

JEAN-LÉON GÉRÔME

(Vesoul, France, 1824 – Paris, France, 1904)

Autoportrait peignant La Joueuse de boules, vers 1902
Huile sur toile, 59,3 × 43,9 cm
S.b.d. : *JL GEROME*
HISTORIQUE ▷ Vente Christie's, New York, 29 mai 1980, n° 105 ; Shepherd Gallery, New York, 1981 ; vente Christie's, New York, 25 mai 1994, n° 48. ▮ p. 98

♦

La Joueuse de boules, vers 1902
Bronze doré, H. 27,9 cm
S. : *J.-L. GEROME* ; et cachet du fondeur : *Siot Decauville fonderie S212*
HISTORIQUE ▷ Acquis à la vente Sotheby's, New York, 17 février 1993, n° 157. ▮ p. 98

WILLIAM JAMES GLACKENS
(Philadelphie, États-Unis, 1870 – Westport, États-Unis, 1938)

Femme au chapeau fleuri, s.d.
Huile sur toile, 27 × 17,14 cm
S.h.d. : *W. G.*
HISTORIQUE ▷ Collection Violette de Mazia ; acquis de cette dernière à la vente Christie's, New York, 25 mai 1989, n° 322. ▮ p. 99

♦

Femme laçant sa bottine, s.d.
Huile sur toile, 33 × 24,76 cm
S.b.g. : *W. Glackens*
HISTORIQUE ▷ Collection Violette de Mazia ; acquis de cette dernière à la vente Christie's, New York, 25 mai 1989, n° 321. ▮ p. 99

NORBERT GOENEUTTE
(Paris, France, 1854 – Auvers-sur-Oise, France, 1894)

La Femme à l'éventail, s.d.
Huile sur panneau, 22 × 30 cm
S.h.g. : *Goeneutte*
HISTORIQUE ▷ Vente hôtel Drouot, Paris, 24 mai 2006, n° 17. ▮ p. 100

♦

Une représentation de La Princesse de Trébizonde, 1877
Huile sur panneau, 23 × 14 cm
S.D.b.d. : *N. Goeneutte / 77*
HISTORIQUE ▷ Collection particulière, Belgique ; acquis de la galerie Hopkins-Custot, Paris. ▮ p. 101

ÉVA GONZALÈS
(Paris, France, 1849-1883)

Citron et verre (recto) ; *Poire et radis* (verso), vers 1879-1880
Aquarelle, 22,5 × 18,5 cm
S.b.g. du cachet de l'atelier : *EVA GONZALÈS*
HISTORIQUE ▷ Collection Henri Guérard, époux de l'artiste, Paris, 1885 ; collection Jean Raymond Guérard, fils de l'artiste, Paris, vers 1950 ; vente De Cagny, Paris, 18 juin 1999, n° 11. ▮ p. 102

♦

Le Petit Lever, dit aussi *La Toilette*, 1875-1876
Huile sur toile, 50,5 × 61,3 cm
S.b.g. : *Eva Gonzalès*
HISTORIQUE ▷ Atelier de l'artiste ; collection Henri Guérard, époux de l'artiste, Paris ; collection Jeanne Guérard-Gonzalès, sœur de l'artiste, Paris, 1897 ; collection Jean Raymond Guérard, fils de l'artiste, Paris, 1924 ; Arthur & Sons, Londres ; Pauline K. Cave, New York ; vente Sotheby's, New York, 16 novembre 1984, n° 16 ; galerie Schmit, Paris ; vente Sotheby's, New York, 6 novembre 1991, n° 5 (non vendu) ; acquis à la vente Sotheby's, Londres, 29 novembre 1994, n° 27. ▮ p. 103

♦

Portrait de Jeanne Gonzales, vers 1865-1870
Huile sur bois, 19 × 13 cm
HISTORIQUE ▷ Acquis de la galerie Waring Hopkins, 1993. ▮ p. 102

CONSTANTIN GUYS
(Flessingue, Pays-Bas, 1802 – Paris, France, 1892)

La Conversation, s.d.
Crayon, encre et aquarelle sur papier, 25,1 × 19,7 cm
HISTORIQUE ▷ Acquis à la vente Christie's, New York, 15 février 1995, n° 59.
▮ p. 201 haut

CHILDE HASSAM
(Dorchester, États-Unis, 1859 – East Hampton, États-Unis, 1935)

Promenade au soleil couchant à Paris, vers 1888-1889
Huile sur toile, 46,04 × 38,42 cm
S.b.g. : *Childe Hassam*
HISTORIQUE ▷ Macbeth Gallery, New York, jusqu'en 1936 ; collection Eleanor C. Nicol, jusqu'en 1972 ; collection particulière, jusqu'en 1978 ; acquis de Hirschl & Adler Galleries, New York, 1979. ▮ p. 105

PAUL-CÉSAR HELLEU
(Vannes, France, 1859 – Paris, France, 1927)

Jeune fille en blanc (portrait présumé de la princesse de Ligne), 1885
Pastel, 129 × 98 cm
S.b.d. : *Helleu*
HISTORIQUE ▷ Vente palais Galliera, Paris, 5 mars 1970, n° 48 ; vente Sotheby's, Londres, 3 décembre 1970, n° 18 ; collection particulière, Lisbonne ; Hirschl & Adler Galleries, New York ; collection particulière, New York ; acquis de la galerie Hopkins-Thomas, Paris. ▮ p. 106

ERNEST-EUGÈNE HIOLLE
(Paris, France, 1834 – Bois-le-Roi, France, 1886)

Buste de Carpeaux, s.d.
Terre cuite, H. 46,4 cm
S. et inscrit : *E. Hiolle / CARPEAUX*
HISTORIQUE ▷ Vente Christie's, Londres, 28 janvier 1998, n° 98 ; collection David M. Daniels et Stevan Beck Baloga ; acquis à la vente Sotheby's, New York, 29 octobre 2002, n° 225. ▮ p. 201 milieu

GEORGE HITCHCOCK
(Providence, États-Unis, 1850 – Marken, Pays-Bas, 1913)

Fille et chèvre, s.d.
Huile sur toile, 99 × 81 cm (avec cadre)
HISTORIQUE ▷ Acquis en août 1975.
▮ p. 108

HENRI-GABRIEL IBELS
(Paris, France, 1867-1936)

Madame Bloch, s.d.
Encre sur papier, 12,7 × 9,5 cm
S.b.d.
HISTORIQUE ▷ Collection Arsène Alexandre, Paris ; acquis de la galerie David & Constance Yates, New York, 2003. ▮ Non reproduit

♦

Yvette Guilbert, s.d.
Encre sur papier, 17,1 × 7,6 cm
S.b.d.
HISTORIQUE ▷ Collection Arsène Alexandre, Paris ; acquis de la galerie David & Constance Yates, New York, 2003. ▮ Non reproduit

JOHN LAVERY
(Belfast, Irlande, 1856 – County Kilkenny, Irlande, 1941)

La Véranda, 1912
Huile sur toile, 63,8 × 76,2 cm
S.b.g. : *J Lavery* ; S.D. au revers : *the veranda/by/john lavery/5 comwell pl./london/1912*
HISTORIQUE ▷ Collection Hélène Montu, l'un des modèles ; collections particulières, par succession ; acquis à la vente Christie's, New York, 19 février 1992, n° 166. ▮ p. 109

GEORGES LEMMEN
(Schaerbeek, Belgique, 1865 – Uccle, Belgique, 1916)

Femme assise dans un fauteuil lisant, 1908
Aquarelle et crayon sur papier, 25,7 × 28,6 cm
S.b.d. du cachet avec monogramme : *GL* ; D.b.d. : *Nov. 1908*
HISTORIQUE ▷ Collection Pierre Lemmen, fils de l'artiste ; acquis à la vente Sotheby's, New York, 9 octobre 1992, n° 17. ▮ p. 110

♦

Jeune femme endormie (Mme Lemmen), 1901
Pastel, 50,8 × 47,6 cm
S. du cachet avec monogramme : *GL* ; D. : *1901*
HISTORIQUE ▷ Collection Pierre Lemmen, fils de l'artiste ; acquis à la vente Sotheby's, New York, 9 octobre 1992, n° 15. ▮ p. 111

♦

Madame Lemmen, 1907
Aquarelle et crayon sur papier, 27,6 × 26,4 cm
S.b.g. du cachet avec monogramme : *GL* ; et D.b.g. : *Dec. 1907*
HISTORIQUE ▷ Collection Pierre Lemmen, fils de l'artiste ; vente Sotheby's, New York, 9 octobre 1992, n° 19. ▮ p. 111

MAXIMILIEN LUCE
(Paris, France, 1858-1941)

Portrait du docteur Marieux, s.d.
Huile sur papier collé sur carton, 38,1 × 36,2 cm
S.b.d. : *Luce*
HISTORIQUE ▷ Collection particulière ; acquis à la vente Sotheby's, New York, 14 juin 1995, n° 68. ▮ p. 112

ARISTIDE MAILLOL
(Banyuls-sur-Mer, France, 1861-1944)

Baigneuse dans un paysage à la draperie rouge, dit aussi *Jeune fille à la rivière*, 1930
Huile sur bois, 20 × 21,5 cm
S.b.g. du monogramme : *AM*
HISTORIQUE ▷ Acquis de l'artiste par Yves Mirande, France ; collection Simone Berriau, France ; galerie André Weil, Paris ; collection particulière, France, acquis de la précédente le 17 mai 1956 ; vente Sotheby's, Londres, 25 juin 2002, n° 226 (non vendu) ; acquis de la galerie Connaught Brown, Londres, 2004. ▮ p. 114

♦

Dos de Marie à la draperie, 1930
Sanguine et craie blanche sur papier gris, 38 × 30 cm
S.b.d. du monogramme : *M*
HISTORIQUE ▷ Acquis à la vente Sotheby's, New York, 16 février 1989, n° 59. ▮ p. 116

♦

L'Été, 1911
Bronze, fonte Alexis Rudier, H. 163 cm
S. sur la base du monogramme : *M*
HISTORIQUE ▷ Collection Dina Vierny ; collection particulière, France ; acquis de Thomas Gibson Fine Art, Londres. ▮ p. 119

♦

La Femme au crabe, 1930
Bronze, H. 16,5 cm
S. du monogramme : *M* ; marque du fondeur : *Alexis Rudier Fondeur Paris*
HISTORIQUE ▷ Acquis à la vente Sotheby's, New York, 18 février 1988, n° 36. ▮ p. 201 bas

♦

Les Lavandières, 1896
Huile sur toile, 65,5 × 81,5 cm
S.b.g. : *A. Maillol*
HISTORIQUE ▷ Collection Druet ; collection Marcel Norero ; vente hôtel Drouot, Paris, 14 février 1927, n° 73 ; collection particulière ; vente hôtel Drouot, Paris, 5 juin 1957, n° 31 ; galerie Mouradian-Vallotton, Paris ; collection particulière, acquis de la précédente le 26 juin 1957 ; collection Josefowitz, Suisse, par succession ; acquis de la précédente, 2013. ▮ p. 113

♦

Maternité (Femme assise avec enfant sur les genoux), vers 1910
Sanguine sur papier, 22,9 × 38,1 cm
S.b.c. du monogramme : *M*
HISTORIQUE ▷ Perls Galleries, New York (n° 12997) ; acquis à la vente Sotheby's, New York, 10 mai 1995, n° 215. ▮ p. 117

♦
Nu à genou, vers 1930
Sanguine sur papier marouflé sur carton, 33 × 25 cm
S.b.d. du monogramme : *M*
HISTORIQUE ▷ Collection Lucien Maillol ; vente Parke-Bernet Galleries, New York, 11 mai 1955, n° 14 ; Perls Galleries, New York ; acquis à la vente Sotheby's, New York, 13 février 1987, n° 24. ▮ p. 116

♦
Nu allongé, dit aussi *La Méditation*, s.d.
Sanguine rehaussée de craie blanche sur papier brun marouflé sur carton, 24,1 × 38,6 cm
S.b.d. du monogramme : *M*
HISTORIQUE ▷ Galerie Dina Vierny, Paris ; acquis à la vente Sotheby's, New York, 7 juin 1984, n° 56. ▮ p. 116

♦
Nu allongé de dos, une jambe repliée, 1941
Sanguine sur toile marouflée sur carton, 26,1 × 34 cm
S.b.g. du monogramme : *M*
HISTORIQUE ▷ Acquis à la vente Sotheby's, New York, 7 juin 1984, n° 57. ▮ Non reproduit

♦
Nu debout de dos, bras gauche visible, s.d.
Sanguine sur papier vergé, 31,1 × 20,6 cm
S.b.d. du monogramme : *M*
HISTORIQUE ▷ Acquis à la vente Sotheby's, New York, 8 octobre 1986, n° 163. ▮ p. 117

♦
Nu debout de dos, bras invisibles, 1930
Sanguine sur papier, 38,2 × 29,9 cm
S.b.d. du monogramme : *M*
HISTORIQUE ▷ Gimpel fils Gallery, Londres ; collection Mme Kodicek ; acquis à la vente Christie's, New York, 23 juin 1993, n° 301. ▮ p. 116

♦
Nu debout de face, s.d.
Sanguine sur papier brun, 38,7 × 27,3 cm
S.b.d. du monogramme : *M*
HISTORIQUE ▷ Acquis à la vente Sotheby's, New York, 7 juin 1984, n° 53. ▮ p. 117

♦
Profil de jeune fille, 1893
Huile sur toile, 33 × 40,7 cm
S.b.d. du monogramme : *M* ; **D.b.d. :** *1893*
HISTORIQUE ▷ Galerie Druet, Paris ; collection particulière, Munich, 1955 ; acquis à la vente Christie's, Londres, 22 juin 1993, n° 124. ▮ p. 120

♦
Torse de femme, vers 1930
Terre cuite, H. 106 cm
S. à l'arrière du monogramme : *M*
HISTORIQUE ▷ Collection particulière, acquis de l'artiste ; collection particulière, par succession du précédent ; acquis à la vente Christie's, Londres, 19 juin 2007, n° 321. ▮ p. 115

♦
Torse de femme, étude pour *Ève à la pomme*, s.d.
Bronze, H. 43 cm
HISTORIQUE ▷ Acquis en octobre 1994. ▮ p. 115

ÉDOUARD MANET
(Paris, France, 1832-1883)

La Couseuse, vers 1874
Aquarelle sur papier quadrillé marouflé sur carton, 19 × 16,5 cm
HISTORIQUE ▷ Collection Mme Manet ; collection Ambroise Vollard, Paris ; collection Dr Georges Viau, Paris ; vente hôtel Drouot, Paris, 11 décembre 1942, n° 25 ; collection Walter, Paris ; collection Henschel, New York, acquis en 1951 ; collection Minnie Cassatt Hickman ; vente Sotheby's, New York, 8 novembre 2007, n° 157 (non vendu). ▮ p. 122

MARINO MARINI
(Pistoia, Italie, 1901 – Viareggio, Italie, 1980)

Homme sans tête sur un cheval, s.d.
Crayon et gouache sur papier, 63,5 × 55,88 cm (avec cadre)
S.b.d. : *MARINO*
HISTORIQUE ▷ Acquis en octobre 1987. ▮ p. 123

ALBERT MARQUET
(Bordeaux, France, 1875 – Paris, France, 1947)

Les Bas rouges, 1912
Huile sur toile, 81,3 × 65 cm
S.D.b.d. : *Marquet 12*
HISTORIQUE ▷ Galerie Druet, Paris, 1912 ; collection particulière, Paris ; collection Marianne et Walter M. Feilchenfeldt, Zurich ; Alex. Reid & Lefèvre, Londres ; collection Nathan et Marion Smooke, Californie, acquis des précédents en 1974 ; acquis à la vente Phillips, de Pury & Luxembourg, New York, 5 novembre 2001, n° 42. ▮ p. 124

♦
Nu de femme, s.d.
Crayon sur papier, 17,8 × 15,2 cm (avec cadre) ▮ Non reproduit

♦
Quai de Boulogne, 1930
Aquarelle et crayon sur papier marouflé sur carton, 11,43 × 16,65 cm
S.D.b.g. : *Marquet / Boulogne 1930*
HISTORIQUE ▷ Acquis à la vente Christie's, New York, 13 mai 1987, n° 111. ▮ p. 123

HENRI MATISSE
(Le Cateau-Cambrésis, France, 1869 – Nice, France, 1954)

La Blouse blanche brodée, 1936
Huile sur bois, 16 × 22,3 cm
S.D.b.g. : *Henri Matisse 36*
HISTORIQUE ▷ Knoedler Gallery, New York ; collection particulière, acquis du précédent vers 1945-1950 ; acquis à la vente Sotheby's, New York, 3 novembre 2008, n° 1. ▮ p. 127

♦
Tête au collier, d'après un modèle de 1907
Bronze édité en 1951, H. 14,9 cm
S. : *HM* ; **numéroté :** *5* ; **marque du fondeur :** *C. Valsuani Cire Perdue / Bronze*
HISTORIQUE ▷ M. Knoedler & Co., New York ; collection Donald et Jean Stralem, 1963 ; acquis à la vente Sotheby's, New York, 8 mai 1995, n° 18. ▮ p. 126

GEORGES MINNE
(Gand, Belgique, 1866 – Laethem-Saint-Martin, Belgique, 1941)

Nu de femme entrant dans un bain (recto) ; *Nu d'homme au dos* (verso), s.d.
Crayon sur papier, 18 × 15 cm
HISTORIQUE ▷ Piccadilly Galleries, Londres ; Shepherd Gallery, New York ; vente Parke-Bernet Galleries, New York, 12 juin 1980, n° 56 A ; acquis à la vente Christie's, New York, 25 février 1981, n° 14. ▮ Non reproduit

AMEDEO MODIGLIANI
(Livourne, Italie, 1884 – Paris, France, 1920)

Portrait de Chaïm Soutine, 1917
Huile sur panneau, 79 × 54 cm
HISTORIQUE ▷ Atelier de l'artiste ; collection Léopold Zborowski, Paris ; galerie Henri Bing, Paris, vers 1926 ; collection Gaëtane Hyordey, Paris ; Gallery Felicie, New York ; collection Nathan et Marion Smooke, Californie, acquis des précédents en 1983 ; acquis à la vente Phillips, de Pury & Luxembourg, New York, 5 novembre 2001, n° 46. ▮ p. 128

♦
Portrait de femme au chapeau, 1909
Huile sur carton, 35 × 27 cm
HISTORIQUE ▷ Collection Denise Sasportas, Paris ; Wildenstein & Co., New York ; collection Mme Edward G. Robinson, Los Angeles ; acquis à la vente Christie's, New York, 17 mai 1983, n° 36. ▮ p. 129

BERTHE MORISOT
(Bourges, France, 1841 – Paris, France, 1895)

Portrait de Madeleine Thomas, dit aussi *Jeune fille au perroquet*, vers 1873
Pastel sur papier, 59,7 × 48,6 cm
S.b.d. : *Berthe Morisot*
HISTORIQUE ▷ Collection A.E. Pleydell-Bouverie, Londres ; Alex Reid et Lefevre, Londres ; collection Lady Baillie, Londres ; vente Sotheby's, Londres, 4 décembre 1974, n° 6 ; collection Wildenstein ; collection Josefowitz, Suisse ; acquis de la galerie Hopkins-Thomas, Paris. ▮ p. 130

♦
Tête d'Anglaise, 1884-1885
Pastel sur papier, 50,1 × 42 cm
S.b.d. du tampon : *Berthe Morisot*
HISTORIQUE ▷ M. Knoedler & Co., New York ; collection particulière, New York, acquis du précédent vers 1960 ; collection particulière, par succession ; acquis à la vente Sotheby's, New York, 8 novembre 2007, n° 121. ▮ p. 131

FERNAND PELEZ ET ATELIER DE FERNAND PELEZ
(Paris, France, 1848-1913)

Grimaces et Misère : les saltimbanques, 1887-1888
Huile sur toile, 114,6 × 292,7 cm
S.b.d. : *F Pelez*
HISTORIQUE ▷ Acquis à la vente Sotheby's, New York, 5 mai 2011, n° 48. ▮ p. 132-133

CAMILLE PISSARRO
(Saint-Thomas, Antilles, 1830 – Paris, France, 1903)

Ludovic-Rodolphe Pissarro lisant, 1893
Huile sur toile, 46 × 38 cm
S.D.b.d. : *C. Pissarro. 93*
HISTORIQUE ▷ Collection Julie Pissarro, épouse de l'artiste, 1904 ; collection Ludovic-Rodolphe Pissarro, fils de l'artiste ; Sam Salz, New York, acquis du précédent en février 1952 ; collection Aaron W. Davis, New York, acquis du précédent en mars 1952 ; acquis à la vente Christie's, New York, 3 novembre 1982, n° 21 ; vente Sotheby's, New York, 11 mai 1999, n° 124 (non vendu). ▮ p. 134

♦
Rencontre de paysans, s.d.
Gouache sur papier, 9,8 × 12,7 cm
S.b.g. : *C. Pissarro*
HISTORIQUE ▷ Famille de l'artiste ; acquis de la précédente à la vente Christie's, Londres, 22 juin 1993, n° 110. ▮ p. 135

JAMES PRADIER
(Genève, Suisse, 1792 – Bougival, France, 1852)

Négresse aux calebasses, s.d.
Bronze, H. 45,7 cm
S. : *J. PRADIER*
HISTORIQUE ▷ Acquis à la vente Christie's, New York, 25 mai 1995, n° 110. ▮ p. 136

MAURICE PRENDERGAST
(St. John's, Canada, 1858 – New York, États-Unis, 1924)

Le Bassin aux voiliers. Jardin des Tuileries, vers 1907
Huile sur carton, 26,7 × 34,7 cm
S.b.d. : *Prendergast*
HISTORIQUE ▷ Collection de l'artiste ; Kraushaar Galleries, New York ; collection Ralph Wilson, Ohio ; acquis de Hirschl & Adler Galleries, New York, 1980. ▮ p. 137

JEAN-FRANÇOIS RAFFAËLLI
(Paris, France, 1850-1924)

Paysan dans un champ, s.d.
Huile sur panneau, 25,1 × 11,1 cm
S.b.g. : *J. F. RAFFAELLI*
HISTORIQUE ▷ Collection de la Congoleum Corporation, Portsmouth ; acquis à la vente Christie's, New York, 27 janvier 1987, n° 11. ▮ p. 138

PAUL-ÉLIE RANSON
(Limoges, France, 1861 – Paris, France, 1909)

Escalier d'auberge au Pays basque, vers 1893
Fusain sur papier, 41,5 × 25 cm
S.d. : *P. Ranson*
HISTORIQUE ▷ Collection Paul Sérusier, Morlaix ; collection Henriette Boutaric, Paris, par succession ; vente Drouot-Montaigne, Paris, 19-20 juin 1984, n° 57 ; galerie Paul Prouté, Paris ; collection Josefowitz, Suisse, acquis de la précédente ; acquis à la vente Christie's, Paris, 1er décembre 2006, n° 80. ▮ p. 139

♦
Paysage japonisant, dit aussi *Le Mur fleuri*, vers 1899
Huile sur toile, 92 × 73 cm
S.b.d. : *P. Ranson* ; **inscription au dos du cadre :** *785*
HISTORIQUE ▷ Vente hôtel Drouot, Paris, 2 mars 1914, n° 73 ; vente hôtel Georges V, Me Tajan, Paris, 10 décembre 1996, n° 13 ; collection particulière ; acquis de la galerie Hopkins-Custot, Paris. ▮ p. 140

ODILON REDON
(Bordeaux, France, 1840 – Paris, France, 1916)

La Fleur rouge, dit aussi *Le Buisson rouge*, vers 1905
Huile sur toile, 55 × 48 cm
S.b.g. : *ODILON REDON*
HISTORIQUE ▷ Bernheim-Jeune, Paris (stock n° 15904 R) ; collection Émile Weill, Paris, mai 1907 ; collection Maurice Denis, Le Vésinet ; collection particulière, Suisse ; collection particulière ; acquis de la galerie Hopkins-Custot, Paris. ▮ p. 143

♦

Vase de fleurs et profil, vers 1905-1910
Huile sur toile, 65,5 × 81 cm
S.b.d. : *ODILON REDON*
HISTORIQUE ▷ Bernheim-Jeune, Paris, acquis le 19 mars 1910 (stock n° 18.052) ; collection Gustave Fayet, Béziers, acquis le 7 mai 1910 ; collection particulière, France ; vente Drouot-Montaigne, Paris, 26 novembre 1990, n° 21 ; collection particulière ; acquis de Wildenstein & Co., New York, 2005. ▮ p. 144

PIERRE AUGUSTE RENOIR
(Limoges, France, 1841 – Cagnes-sur-Mer, France, 1919)

Nature morte à la carafe, 1892
Huile sur toile, 40,5 × 31 cm
S.c.g. : *Renoir*
HISTORIQUE ▷ Ambroise Vollard, Paris ; galerie Bignou, Paris ; collection particulière, France, depuis décembre 1940 ; acquis à la vente Sotheby's, Londres, 29 juin 1999, n° 107. ▮ p. 144

JÓZSEF RIPPL-RÓNAI
(Kaposvár, Hongrie, 1861 – 1927)

Jardin à Pont-Aven, s.d.
Huile sur toile, 38 × 46 cm
S.b.d. : *Ronai*
HISTORIQUE ▷ Collection particulière, France ; vente, Strasbourg, Mes Gasser Audhuy, 14 avril 2012, n° 18 ; acquis de la galerie Waring Hopkins en 2013. ▮ p. 145

♦

Portrait de femme en buste de profil, 1891
Pastel, 41 × 31 cm
S.D.b.d. : *J. RIPPL-RONAI.891*
HISTORIQUE ▷ Collection particulière, France ; vente, Strasbourg, Mes Gasser Audhuy, 14 avril 2012, n° 17 ; acquis de la galerie Waring Hopkins en 2013. ▮ p. 145

AUGUSTE RODIN
(Paris, France, 1840 – Meudon, France, 1917)

Étude de *Femme assise (Cybèle)*, d'après un modèle de 1889
Bronze, H. 50,2 cm
S. : *Rodin* ; numéroté : *5/12* ; marque du fondeur : *Alexis Rudier. Fondeur Paris*
HISTORIQUE ▷ Galerie Curt Valentin, New York ; collection Myran Eknayan, Paris ; collection Jacqueline Delubac, Paris ; vente Christie's, Londres, 9 décembre 1998, n° 170 ; acquis à la vente Sotheby's, New York, 11 novembre 1999, n° 210. ▮ p. 146

♦

Petite Ève, 1916-1917
Bronze, fonte Alexis Rudier, H. 74,9 cm
S. : *A. Rodin*
HISTORIQUE ▷ Acquis de la galerie Cazeau-Béraudière, 1997. ▮ p. 146

WILLIAM ROTHENSTEIN
(Bradford, Angleterre, 1872 – Londres, Angleterre, 1945)

Portrait de groupe : le critique d'art D.S. MacColl, Charles Furse, Max Beerbohm et les artistes William Steer et Walter Sickert, 1882-1884
Huile sur toile, 110,6 × 86,3 cm
HISTORIQUE ▷ Collection Edgar Hesslein, New York, avant 1922 ; collection M. et Mme Benjamin Sonnenberg, New York ; vente Christie's, Londres, 7 juin 1979, n° 655 ; Graham Gallery ; acquis à la vente Sotheby's, New York, 22 février 1989, n° 219. ▮ p. 147

KER-XAVIER ROUSSEL
(Lorry-lès-Metz, France, 1867 – L'Étang-la-Ville, France, 1944)

Paysannes endimanchées (deux tableaux formant diptyque réunis en un seul), 1890
Huile sur toile, 49,5 × 38 cm
S.b.c. et b.d. : *X Roussel*
HISTORIQUE ▷ Collection Félix Fénéon ; galerie Percier, Paris ; galerie Berri-Lardy & Cie, Paris ; galerie La Cave, Paris ; collection Josefowitz, Suisse, acquis de la précédente ; vente Christie's, Paris, 1er décembre 2006, n° 74. ▮ p. 148

CLAUDE ÉMILE SCHUFFENECKER
(Fresne-Saint-Mamès, France, 1851 – Paris, France, 1934)

Nature morte au pichet, vers 1888
Huile sur toile, 33 × 23,1 cm
Cachet d'atelier au revers
HISTORIQUE ▷ Vente hôtel Rameau, Versailles, 3 mars 1968, n° 40 ; vente hôtel des ventes, Brest, 28 octobre 1979, n° 247 ; collection Josefowitz, Suisse, acquis lors de la précédente ; acquis à la vente Christie's, Paris, 23 mai 2007, n° 53. ▮ p. 150

ARMAND SEGUIN
(Paris, France, 1869 – Chateauneuf-du-Faou, France, 1903)

Paysage breton, 1901
Aquarelle, crayon et encre sur papier, 17,4 × 37,1 cm
S.D.b.d. : *A. Seguin 1901*
HISTORIQUE ▷ Collection Ambroise Vollard, Paris ; collection particulière, Paris ; collection Arthur G. Altschul, 1961-2012 ; acquis à la vente Sotheby's, New York, 7 novembre 2012, n° 401. ▮ p. 151

PAUL SÉRUSIER
(Paris, France, 1864 – Morlaix, France, 1927)

L'Assiette de pommes, vers 1891
Huile sur toile, 36,5 × 53,5 cm
S.b.d. du monogramme : *PS*
HISTORIQUE ▷ Atelier de l'artiste ; Paule-Henriette Boutaric, par succession ; vente Drouot Montaigne, Paris, 19-20 juin 1984, n° 142 ; collection Josefowitz, Suisse, acquis lors de la précédente ; acquis à la vente Christie's, Paris, 1er décembre 2006, n° 79. ▮ p. 151

THÉOPHILE ALEXANDRE STEINLEN
(Lausanne, Suisse, 1859 – Paris, France, 1923)

Les Femmes d'amis de Georges Courteline, projet de couverture, s.d.
Encre et aquarelle sur papier, 29,5 × 36,2 cm (avec cadre)
S.b.d. : *Steinlen* ▮ p. 153

♦

Le 18 mars au Père-Lachaise, s.d.
Craie noire, craie bleue et lavis sur papier marouflé sur carton, 36,8 × 51,2 cm
S.b.d. : *Steinlen* ; inscrit en bas : *Qu'est-ce que c'est, m'sieur l'agent, une société d'anciens militaires ?/ Non c'est le reste des insurgés qu'on a oublié de fusiller en 1871*
HISTORIQUE ▷ Acquis à la vente Sotheby's, New York, 22 mai 1991, n° 240. ▮ p. 152

♦

Scène de rue, dit aussi *Modistes dans la rue*, s.d.
Encre de Chine et crayon sur papier, 24,4 × 31,1 cm
S.b.d. : *Steinlen*
HISTORIQUE ▷ Collection Sidney E. Cohn ; acquis à la vente Sotheby's, New York, 7 février 1996, n° 11. ▮ p. 154

♦

Trois midinettes, 1902
Crayon sur papier, 15,4 × 22,8 cm
S.D.b.d. : *Steinlen Paris 1902* ; dédicacé h.g. : *pour Mademoiselle Edith Brandès*
HISTORIQUE ▷ Don de l'artiste à Georg Brandes, Danemark ; collection particulière, par succession ; acquis à la vente Christie's, Londres, 17 mars 1997, n° 1. ▮ p. 154

ALFRED STEVENS
(Bruxelles, Belgique, 1823 – Paris, France, 1906)

Femme à la fenêtre nourrissant des oiseaux, vers 1859
Huile sur toile marouflée sur panneau, 45 × 38 cm
S.D.b.d. : *Alfred Stevens 59*
HISTORIQUE ▷ Vente Christie's, New York, 15 février 1994, n° 168. ▮ p. 155

JAMES TISSOT
(Nantes, France, 1836 – Chenecey-Buillon, France, 1902)

Kew Gardens, s.d.
Huile sur panneau, 43,2 × 19,1 cm
S.b.g. : *J. J. Tissot*
HISTORIQUE ▷ Arthur Tooth & Sons, Londres ; Dr et Mme Price, Hartford ; collection particulière, Connecticut ; vente Sotheby's, New York, 22 mai 1986, n° 68 ; collection particulière ; acquis à la vente Sotheby's, New York, 16 février 1994, n° 181. ▮ p. 158

♦

La Sœur aînée, vers 1881
Huile sur toile, 40,6 × 17,8 cm
S.b.d. : *J.J. Tissot*
HISTORIQUE ▷ Collection particulière, Californie ; acquis à la vente Sotheby Parke-Bernet, New York, 24 février 1987, n° 79. ▮ p. 156

HENRI DE TOULOUSE-LAUTREC
(Albi, France, 1864 – Saint-André-du-Bois, France, 1901)

Projet de couverture pour *L'Image*, revue mensuelle littéraire et artistique, n° 11, octobre 1897
Gouache, encre noire et crayon sur carton, 47,7 × 32,87 cm
S.c.d. du monogramme : *TL*
HISTORIQUE ▷ Collection M. et Mme Alfred Natanson, Paris, acquis de l'artiste ; collection Annette Vaillant, Paris, par succession des précédents ; acquis à la vente Christie's, New York, 8 mai 2003, n° 152. ▮ p. 159

LOUIS VALTAT
(Dieppe, France, 1869 – Paris, France, 1952)

Femme assise en noir, vers 1925
Huile sur carton, 33 × 17 cm
S.b.g. : *LV*
HISTORIQUE ▷ Galerie Denise Valtat, Paris ; collection M. et Mme Adolphe A. Juviler, Palm Beach ; Trosby Galleries, Palm Beach ; collection Mme Percy Uris ; acquis à la vente Christie Manson and Woods, New York, 13 novembre 1985, n° 228. ▮ p. 160

KEES VAN DONGEN
(Delfshaven, Pays-Bas, 1877 – Monaco, France, 1968)

La Conversation, s.d.
Crayon et craie grasse noire sur papier, 18,2 × 11 cm
S.b.c. : *Van Dongen*
HISTORIQUE ▷ Collection particulière, acquis de l'artiste en 1965 ; vente Sotheby's, Londres, 13 avril 1972, n° 200 ; collection particulière, Londres ; acquis à la vente Phillips, Londres, 23 juin 1997, n° 89. ▮ p. 161

JAN VERKADE
(Zaandam, Pays-Bas, 1868 – Beuron, Allemagne, 1946)

Femme dans un bois, vers 1894
Crayon, encre et gouache sur papier, 21,9 × 13,5 cm
S.b.d. : *Jan Verkade*
HISTORIQUE ▷ Collection Främoes, Copenhague ; collection Josefowitz, Suisse, acquis de la précédente ; acquis à la vente Christie's, Paris, 23 mai 2007, n° 44. ▮ p. 161

ANTOINE VOLLON
(Lyon, France, 1833 – Paris, France, 1900)

Nature morte avec tranche de potiron et casserole en cuivre, vers 1875-1885
Huile sur toile, 82 × 103 cm
S.b.d. : *A. Vollon*
HISTORIQUE ▷ Maison Loeb, rue Chambat, 23 mai 1980 ; acquis de la galerie Didier Aaron. ▮ p. 162

ÉDOUARD VUILLARD
(Cuiseaux, France, 1868 – La Baule, France, 1940)

À table (Le Déjeuner), 1892
Huile sur toile, 32 × 46 cm
S.b.d. : *E. Vuillard*
HISTORIQUE ▷ Collection Alfred Athis Natanson, Paris ; collection Denise Tabah, née Natanson, Rueil-Malmaison ; Sam Salz, New York ; collection M. et Mme Ralph F. Colin, acquis du précédent le 7 novembre 1950 ; vente Christie's, New York, 10 mai 1995, n° 9 ; acquis de la galerie Hopkins-Thomas-Custot, Paris. ▮ p. 168

♦

Biana Duhamel dans le rôle de Miss Helyett, vers 1891-1892
Pastel sur papier, 41,3 × 25,7 cm
S.b.d. du cachet : *EV*
HISTORIQUE ▷ Atelier de l'artiste ; collection Josef Rosensaft, New York, vers 1958 ; vente Sotheby's, New York, 17 mars 1976, n° 21 (non vendu) ; Rosenthal & Rosenthal, New York ; acquis à la vente Christie's, New York, 7 novembre 2007, n° 128. ▮ p. 187

♦

La Ceinture noire, vers 1895
Huile sur papier marouflé sur toile, 16,8 × 16,8 cm
S.b.g. du cachet : *E. Vuillard*
HISTORIQUE ▷ Atelier de l'artiste ; Wildenstein & Co., New York, acquis le 29 février 1956 ; collection particulière, New York ; collection Joanne Melniker Stern ; acquis à la vente William Doyle, New York, 9 mai 2012, n° 109. ▮ p. 190

♦

La Conversation (Alfred Natanson et Marthe Mellot), 1897-1899
Huile sur carton contrecollé sur panneau parqueté, 53,9 × 67,3 cm
S.b.g. : *E. Vuillard*
HISTORIQUE ▷ Collection Jos Hessel, Paris ; Bernheim-Jeune, Paris ; collection Jacques Rodrigues-Henriques, Paris ; Sam Salz, New York ; collection Nate B. et Frances Spingold, New York ; vente Sotheby's, Londres, 29 novembre 1976, n° 9 ; collection particulière, États-Unis ; acquis de Richard L. Feigen & Co., New York. ▮ p. 176

♦

La Coupe bleue, vers 1895-1898
Huile sur carton contrecollé sur panneau parqueté, 24,8 × 20,6 cm
S.h.g. du cachet : *E Vuillard*
HISTORIQUE ▷ Renou et Colle, Paris, acquis de l'artiste ; Roland, Browse & Delbanco, Londres ; collection Dr Robert C. Levy, Chicago, acquis des précédents le 1er août 1956 ; vente Sotheby's, New York, 4 novembre 1993, n° 252 (non vendu) ; collection Bob Boyett ; acquis à la vente Sotheby's, New York, 4 mai 2011, n° 217. ▮ p. 191

♦

Les Couturières, 1890
Huile sur toile, 47,5 × 57,5 cm
S.b.d. du cachet : *E Vuillard*
HISTORIQUE ▷ Wildenstein & Co., New York ; collection Jacques Roussel, Paris, acquis en 1951 ; collection M. et Mme Ira Haupt, New York, acquis en 1954 ; collection Doris Warner Vidor, New York, acquis en 1964 ; Richard L. Feigen Gallery, New York, acquis en 1983 ; collection particulière, acquis de la précédente ; vente Christie's, Londres, 4 février 2009, n° 9 ; collection particulière, Europe, acquis de la précédente ; vente Sotheby's, Londres, 8 février 2012, n° 9. ▮ p. 166

♦

Dame à la fenêtre, vers 1900
Huile sur carton, 49,2 × 62 cm
S.b.g. du cachet : *E Vuillard*
HISTORIQUE ▷ Atelier de l'artiste ; Arthur Tooth & Sons, Londres ; collection Edward Hulton, Grande-Bretagne, 1951 ; collection Mme Putnam, Londres ; Marlborough Fine Art, Londres ; collection Mme Wellington Henderson, Californie, vers 1971 ; don partiel au San Francisco Museum of Modern Art ; acquis à la vente Sotheby's, New York, 8 novembre 2007, n° 209. ▮ p. 185

♦

L'Encrier, vers 1888
Huile sur toile, 13 × 19,5 cm
S.b.d. du cachet : *E. Vuillard*
HISTORIQUE ▷ Atelier de l'artiste ; collection particulière ; acquis de la galerie Berès, Paris, 2006. ▮ p. 163

♦

Femme à la blouse rayée (tournée vers la droite), 1895
Porcelaine peinte, diam. 22,7 cm
Cachet au verso : *H & Co. France*
HISTORIQUE ▷ Vente Christie's, Paris, 2 décembre 2008, n° 13 (non vendu). ▮ p. 189

♦

Femme à la blouse rayée (tournée vers la gauche), 1895
Porcelaine peinte, diam. 22,8 cm
Cachet au verso : *H & Co. France*
HISTORIQUE ▷ Vente Christie's, Paris, 2 décembre 2008, n° 12 (non vendu). ▮ p. 189

♦

Fillettes se promenant, vers 1891
Huile sur toile, 81 × 64,5 cm
S.b.g. du cachet : *E Vuillard*
HISTORIQUE ▷ Atelier de l'artiste ; collection Ker-Xavier Roussel, Paris ; collection Jacques Roussel, Paris ; Wildenstein & Co., New York ; collection Walter Ross, New York ; collection Adelaide Ross Stachelberg, New York, par succession ; vente Sotheby Parke-Bernet, New York, 17 mai 1978, n° 47 ; collection Josefowitz, Suisse, acquis de la précédente ; prêt à la National Gallery de Londres, 1994-1996 ; acquis à la vente Christie's, New York, 6 mai 2008, n° 20. ▮ p. 172

♦

L'Homme et les deux chevaux, vers 1890
Huile sur carton, 27 × 34,9 cm
S.b.d. du cachet : *E. Vuillard*
HISTORIQUE ▷ Atelier de l'artiste ; collection Jacques Salomon, Paris ; collection Antoine Salomon, Paris, par succession ; collection E.J. Van Wisselingh, Amsterdam ; collection B. Meijer, Wassenaar (Pays-Bas) ; collection Josefowitz, Suisse, 1985 ; acquis à la vente Christie's, Paris, 23 mai 2007, n° 85. ▮ p. 164

♦

Madame Vuillard examinant son ouvrage, dit aussi *Madame Vuillard cousant*, vers 1895
Huile sur carton, 29,2 × 27,9 cm
S.b.d. : *E. Vuillard*
HISTORIQUE ▷ Collection Jos Hessel, Paris ; collection Léon Delaroche, Paris, acquis du précédent le 17 janvier 1935 ; collection particulière, Paris ; acquis à la vente Christie's, New York, 8 novembre 2006, n° 68. ▮ p. 175

♦

Mademoiselle Jacqueline Fontaine, 1911-1912
Huile sur toile, 179 × 129 cm
HISTORIQUE ▷ Commandé à l'artiste par le père du modèle, Arthur Fontaine ; collection Jacqueline Fontaine, Paris ; collection Philippe Fontaine, frère du modèle, et Thérèse Bertrand-Fontaine, Paris, par succession en 1931 ; collection Martine Fontaine, Paris, par succession de sa mère, Thérèse, en 1987 ; collection particulière, Paris ; acquis de Thomas Gibson Fine Art, Londres. ▮ p. 192

♦

Mère et enfant, vers 1891-1892
Huile sur carton, 29,2 × 14 cm
S.b.d. du cachet : *EV*
HISTORIQUE ▷ Atelier de l'artiste ; Georges Maratier, Paris, vers 1945 ; Alfred Daber, Paris ; Sam Salz, New York ; collection Marina Salz, New York, don du précédent ; acquis à la vente Christie's, New York, 9 mai 2000, n° 313. ▮ p. 171

♦

Le Modèle dans l'atelier, 1916
Huile sur carton, 13,4 × 9,5 cm
S.b.d. du cachet : *E Vuillard*
HISTORIQUE ▷ Atelier de l'artiste ; Wildenstein, New York ; collection Sam Gallu, Californie, 1958 ; galerie St. Etienne, New York, 1992 ; acquis de la galerie Hopkins-Thomas, Paris, 1994. ▮ p. 177

♦

Les Noctambules, vers 1894-1895
Pastel sur papier bistre, 24,8 × 15,9 cm
S.b.d. du cachet : *EVuillard*
HISTORIQUE ▷ Atelier de l'artiste ; Georges Maratier, Paris ; Serge Dignine, Paris ; Norton Gallery and School of Art, West Palm Beach, 1980 ; collection Frédérick P. Weissman ; vente Sotheby's, New York, 10 mai 1989, n° 101A ; collection particulière, Suisse ; vente hôtel Drouot, Paris, 19 novembre 1989, n° 8 ; acquis à la vente Sotheby's, New York, 9 novembre 1994, n° 146. ▮ p. 174

♦

Le Petit Déjeuner devant la fenêtre, vers 1892
Huile sur carton contrecollé sur panneau parqueté, 21,6 × 23,5 cm
S.b.g. du cachet : *EV*
HISTORIQUE ▷ Collection Carroll Carstairs, New York ; Lefevre Gallery, Londres ; collection Philip et Grace Sandblom, Lausanne, acquis en 1970 ; collection particulière, par succession ; collection particulière, La Jolla ; acquis à la vente Sotheby's, New York, 4 mai 2011, n° 223. ▮ p. 169

♦

Pierre Bonnard, 1891
Huile sur carton, 32,5 × 21,5 cm
S.D. et dédicacé h.d. : *à Charles Bonnard / Pierre Bonnard / par E. Vuillard / 91*
HISTORIQUE ▷ Collection Charles Bonnard, Paris, don de l'artiste ; collection Charles Terrasse, Paris ; collection particulière, Fontainebleau ; collection particulière, 1992 ; acquis en juin 1999. ▮ p. 180

♦

Pipe d'écume et paquet de tabac, vers 1888
Huile sur toile, 13 × 21 cm
S.b.d. du cachet : *E. Vuillard*
HISTORIQUE ▷ Atelier de l'artiste ; Sam Salz, New York ; succession de Joseph E. Levine, New York ; vente Sotheby's, New York, 13 novembre 1997, n° 522 ; collection particulière ; galerie Bellier, Paris ; acquis de la galerie Berès, Paris, 2006. ▮ p. 163

♦

La Porte, 1892
Encre et lavis sur papier, 24,1 × 18,5 cm
S.D.h.d. du cachet : *ev 92*
HISTORIQUE ▷ Vente hôtel Drouot, Paris, juin 1953, n° 112 ; collection John Rewald, New York ; vente Sotheby's, New York, 7 juillet 1960, n° 137 ; Marlborough Fine Art, New York, inv. n° 1254 ; James kirkman Ltd, Londres, acquis le 26 juillet 1977 ; collection Joanne Melniker Stern ; vente William Doyle, New York, 9 mai 2012, n° 107. ▮ p. 170

♦

Portrait de Marie Vuillard, vers 1888
Fusain sur papier, 22,9 × 17,8 cm
S.b.d. du cachet : *Evuillard*
HISTORIQUE ▷ Collection Jacques Roussel, Paris ; Sam Salz, New York ; collection Sidney E. Cohn ; succession Sidney E. Cohn ; acquis à la vente Sotheby's, New York, 9 novembre 1994, n° 147. ▮ p. 194

♦

Les Premiers Pas (7e panneau des *Jardins publics*), 1894
Peinture à la colle sur toile, 213,4 × 68,5 cm
S.D.b.d. : *E. Vuillard 94*
HISTORIQUE ▷ Commandé à l'artiste par Alexandre Natanson en janvier 1894 et installé dans sa résidence de l'avenue Foch à Paris à la fin de l'année ; transféré vers juin 1908 dans l'appartement de Natanson au 104, avenue des Champs-Élysées, Paris ; installé au début de l'année 1914 au 178, rue de Courcelles, Paris ; vente hôtel Drouot, Paris, 16 mai 1929, n° 119 ; collection Kleinmann, Paris ; collection Gaston Hemmendinger, Paris ; confiscation par l'occupant allemand, 1940 ; restitution à Gaston Hemmendinger, 1948 ; collection particulière, Suisse, 1958 ; acquis de Wildenstein & Co., New York, 2000. ▮ p. 183

♦

Profil, 1916
Huile sur carton, 14 × 10,5 cm
S.b.d. du cachet : *E Vuillard*
HISTORIQUE ▷ Atelier de l'artiste ; collection particulière, Grande-Bretagne ; vente Christie's, Londres, 6 décembre 1983, n° 338 ; J. P. L. Fine Arts, Londres ; collection particulière, Londres, 1984 ; vente Christie's, New York, 12 février 1987, n° 42 ; vente Christie's, New York, 11 mai 1989, n° 278 ; collection particulière ; acquis à la vente Christie's, New York, 7 novembre 2001, n° 171. ▮ p. 195

♦

La Rousse à manches bouffantes vertes, vers 1891-1892
Huile sur carton, 29,8 × 15,9 cm
S.b.d. du cachet : *E Vuillard*
HISTORIQUE ▷ Atelier de l'artiste ; collection M. Menneville, Paris ; collection Silberman, New York ; collection Edward Bragaline, New York ; vente Sotheby's, New York, 14 octobre 1965, n° 120 ; David Findlay Galleries, New York ; vente Sotheby's, New York, 4 novembre 1993, n° 130 ; acquis de la galerie Hopkins-Thomas, Paris. ▮ p. 171

♦

La Table. La fin du déjeuner chez Madame Vuillard, vers 1895
Huile sur carton contrecollé sur panneau parqueté, 49,5 × 68,5 cm
S.b.d. : *E Vuillard*
HISTORIQUE ▷ Collection Jos Hessel, Paris ; galerie Louis Carré, Paris ; collection Alfred Daber, Paris ; galerie Charpentier, Paris ; collection Fernand et Beatrice Leval, New York, acquis de la précédente en 1946 ; acquis à la vente Christie's, New York, 4 mai 2005, n° 10. ▮ p. 188

♦

Tête de chanteuse, vers 1890
Encre et crayon sur papier, 16,5 × 10,8 cm
S.b.d. du cachet : *E. V.*
HISTORIQUE ▷ Collection Sven H.A. Bruntjen, San Francisco ; collection Dodie Rosekrans, 1990, acquis de la précédente ; acquis à la vente Sotheby's, New York, 4 mai 2011, n° 179. ▮ p. 165

♦

Visage de femme. Yvette Guilbert, vers 1890-1891
Pastel sur papier, 36 × 25,2 cm
S.b.d. du cachet : *E.V.*
HISTORIQUE ▷ Atelier, collection particulière ; acquis de la galerie Hopkins-Custot, Paris. ▮ p. 165

♦

DROITS RÉSERVÉS
Pages 39, 40, 42, 43, 45, 46, 49 et plat IV, 51, 52, 55, 57, 59, 60, 61, 62, 64, 65, 67, 68, 69, 71, 72, 74, 75, 76, 77 et plat IV, 78, 79, 81, 87, 85, 90, 92 haut, 93, 95, 96, 98 droite, 103, 105, 106, 110, 111, 113, 114, 115, 116, 117, 120, 122, 124, 126, 127, 128, 129, 130, 133, 134, 135, 137, 140 et plat IV, 143 et plat IV, 144, 146 droite, 154 haut, 158, 161 gauche, 162, 165 droite, 166 et plat IV, 168, 171, 175, 176, 178, 180, 183 droite et plat IV, 185, 188, 192, 199 bas, 201 haut et bas

© PHOTO PAULINE SHAPIRO
Pages 56 milieu, 80, 82, 88, 94, 97, 98 gauche, 99, 100, 101, 102, 109, 112, 123 bas, 136, 138, 145, 146 gauche, 147, 150, 152, 153, 154 bas, 155, 156, 160, 161 droite, 177, 194, 198, 199 milieu, 200 haut et milieu

© PHOTO JOHN SCHWEIKERT
Pages 1, 2, 20-21, 22, 23, 24-25, 30, 37, 50, 53, 54, 56 gauche et droite, 73, 76, 78 bas, 89, 92 bas, 108, 123 haut, 131, 151 haut, 159, 163, 165 gauche, 169, 170, 172 et couverture, 174, 187 et plat IV, 189, 190, 191, 195, 199 haut, 200 bas, 201 milieu

COURTESY VERANDA MAGAZINE – PHOTOGRAPHE OBERTO GILI
Pages 6, 10, 26, 28-29, 207, 208

© MUSÉE D'ORSAY, DIST. RMN-GRAND PALAIS / PATRICE SCHMIDT
Pages 181, 182, 183 gauche

© MUSÉE D'ORSAY / PATRICE SCHMIDT
Page 197

PHOTO © CHRISTIE'S IMAGES / THE BRIDGEMAN ART LIBRARY
Pages 44, 70, 78 haut, 86, 139, 148, 151 bas, 164

FONDATION DINA VIERNY – MUSÉE MAILLOL, PARIS
page 119

POUR LES ŒUVRES DE PIERRE BONNARD, MAURICE DENIS, ANDRÉ DERAIN, RAOUL DUFY, ARISTIDE MAILLOL, MARINO MARINI, ALBERT MARQUET, KER-XAVIER ROUSSEL, LOUIS VALTAT, KEES VAN DONGEN
Adagp, Paris 2013

POUR LES ŒUVRES D'HENRI MATISSE
© succession H. Matisse

N° d'édition : L. 05EBAN000352
ISBN 978 2 08129 954 2

62, rue de Lille 75007 Paris
www.musee-orsay.fr
ISBN 978 2 35433 125 2

Dépôt légal : avril 2013
Achevé d'imprimer en mars 2013
sur les presses de Gruppo Editoriale Zanardi en Italie

Degas